彩图版李毓佩数学故事系列

数学西游记

（彩图版）

李毓佩 著

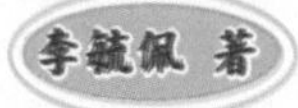

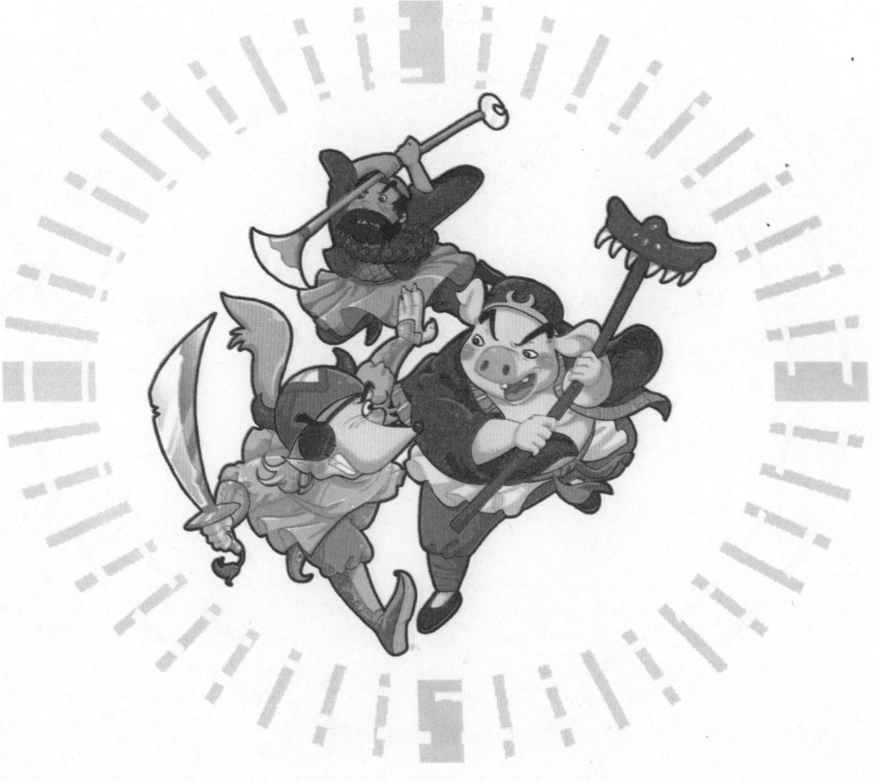

湖北长江出版集团 湖北少年儿童出版社
HUBEI CHILDREN'S PRESS

目录

数学西游记

目录

数学西游记

目录

数学西游记

目录

数学西游记

李毓佩数学故事系列

数学猴和猪八戒

LI
YU
PEI
SHU
XUE
GU
SHI
XI
LIE

卫兵排阵

WEIBINGPAIZHEN

数学猴是一只小猕猴，鼻子上架着一副小眼镜，上身穿T恤衫，下穿牛仔裤，脚蹬耐克鞋。小猕猴聪明过人，又喜欢数学。由于长期学习数学，数学水平不低，凡事都要用数学来解决，人送外号“数学猴”。

一日，数学猴正在树林里散步，忽然听到后面有人喊：“大师兄救命！”

数学猴回头一看，看见猪八戒在前面跑，几

名蚊子精在后面猛追。

猪八戒边跑边喊:“猴哥,救命!叮咬死我了!”

数学猴不敢怠慢,立刻拿出“蚊虫喷杀剂”,对猪八戒说:“老猪,快藏到我身后。”

数学猴高叫:“瞧我的厉害!”“噗——”猛喷“蚊虫喷杀剂”。

蚊子精呼喊:“啊,没命啦!”蚊子精纷纷落地。

猪八戒握住数学猴的手,说:“感谢大师兄救命之恩!”

数学猴摇摇头说:“老猪,你认错人啦!我不是你大师兄孙悟空。”

猪八戒仔细端详数学猴:“嘿,你还真不是我的大师兄。孙猴子不戴眼镜,孙猴子不穿T恤衫和牛仔裤,孙猴子没有耐克鞋,总之,孙猴子没有你酷!不过,你是猴子,凡是猴子都是我的师兄,你就算我的小师兄吧!我说小师兄,你叫什么名字?”

“人家都叫我数学猴。”

“数学猴?”猪八戒笑着说,“小师兄的数学肯定不错!”

数学猴笑了笑:“马马虎虎。”

猪八戒犯困了:“呵——真困哪!”

“困,你就睡吧!”

“不敢哪!我老猪睡着了就打呼噜,妖精听到猪打呼噜声,还不来吃我?”

“那怎么办？”数学猴也犯难了。

“有办法了！”猪八戒眼睛一亮，“我学大师兄，在地上画一个魔阵，我躺在魔阵里面睡，可以高枕无忧了！”说完就在地上画了一个 4 × 4 的方阵。

数学猴问：“你画的魔阵有魔力吗？”

猪八戒懊丧地摇摇头：“我没有孙猴子的法力呀！我画的阵一点魔力也没有！”

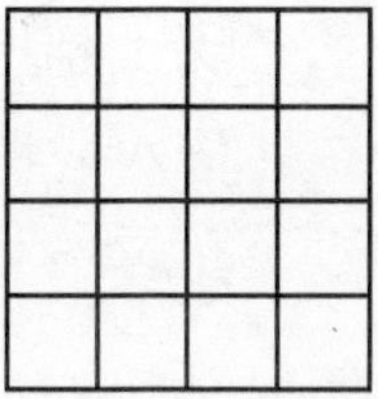

“那还是没用啊！”

猪八戒眼珠一转：“嘿，我有办法啦！你等着。”没过多大一会儿，猪八戒带来山羊、小熊、兔子和松鼠各一只。

猪八戒指着 4 只动物高兴地说：“哈，我抓来 4 个卫兵，让他们给我站岗放哨，我就可以在方阵里睡大觉啦！”

山羊和兔子问：“我们站哪儿放哨？”

“这 4 × 4 的魔阵有 16 个方格，让他们站在哪儿最好啊？”猪八戒开始挠头。

猪八戒问数学猴：“小师兄，你数学好，你给出个主意，怎么排好？”

数学猴眨巴一下眼睛：“你排方阵是为了睡觉安全，最好的排法是，每行每列都能有一名卫兵，这样妖精不管从哪个方向来，都能有卫兵发现。”

猪八戒“嘿嘿”一乐：“原来数学猴也犯糊涂，方阵的

每行每列都能有一名卫兵需要 16 名呀！我只有 4 个兵，不够啊！”

数学猴解释说：“我是说每行每列都能有一名卫兵，并没说每个格里都要一名卫兵啊！”

“是这么个理。”猪八戒问，“你说的排法当然好，可是谁会排呀？”

“我会啊！”说着数学猴就排出了一种排法(图 1)。

猪八戒认真看了看，一竖大拇指：“高！果然每行、每列都有一个卫兵。”

图 1

“这不算什么，其实可以有 576 种不同的排法。”

“什么？有 576 种？”猪八戒瞪大了眼睛，“吹牛！我夸你两句，你就开始吹牛了。”

数学猴并不生气，他问：“我问你，4 个卫兵我们一个一个来放，先放山羊。由于 16 个格里哪个都可以放，一共有 16 种不同的放法。对不对？”

“对！”

数学猴又问：“当把山羊的位置确定之后，比如固定在左上角。这时，最上面一行，最左边一列是不是就不用

再放卫兵了？（图 2）”

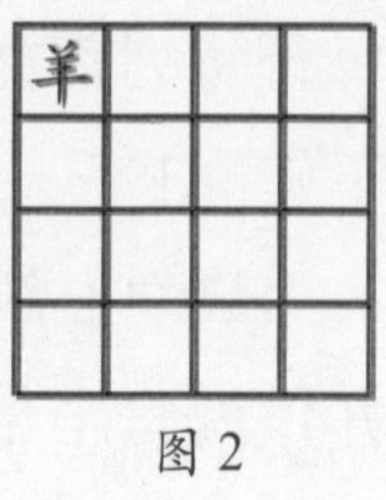

图 2

“我想想。”猪八戒对着方阵图比划，“最上面一行，横着看，能看到一只羊。最左边一列，竖着看，也能看到一只羊。不错，放上一只羊，可以管一行和一列。”（图 2）

数学猴又说：“把羊放好之后，第二个该放兔子了，这时只剩下 9 个格子可以挑选了。”

“对！因为最上面一行和最左边一列有羊看管着，就不用再放卫兵了。”

“同样道理，小熊只有 4 个格子可以挑选，而松鼠只能站在右下角的格子里了。这样一来，一共就有 $16 \times 9 \times 4 \times 1 = 576$ 种排法。”

猪八戒拍拍数学猴的肩膀：“小师兄，你的数学可比我大师兄孙悟空强多啦！看来我可以睡一个安稳觉了。”

BAJIECHUYAO 八戒除妖

八戒，你安心睡吧！再见了！拜拜！数学猴刚想走，猪八戒急忙拦住。

猪八戒说："咱俩不能拜拜。你还要和我一起去除妖哪！"

"除妖？"数学猴摇摇头说，"我不会法术，怎么和你一起去除妖？"

"你会数学就成！"

猪八戒拉着数学猴往天上一指说，“刚才我看见飘来一片黑云，上面站着许多小妖。黑云飘到了前面的山头，有三分之一的小妖下了黑云，其中男妖比女妖多 2 个。”

“下来的小妖奔哪儿去了？”数学猴有点紧张。

“你听我说呀！”猪八戒不紧不慢地讲，“有下的就必然有上的，然后又上去几个小妖，上去的是在黑云上的小妖数的三分之一，上去的女妖比男妖多 2 个。”

数学猴忙问：“这时你数过黑云上有多少小妖了吗？”

“数啦！黑云上这时还有 32 个小妖，其中男妖、女妖各一半。”

“你想知道什么？”

猪八戒说：“我就想知道最初黑云上有多少小妖，其中有多少男妖、多少女妖？”

“小妖又上又下，有男有女，真够复杂的！”数学猴说，“不过复杂没关系，我用倒推法分两次给你算。”

“分几次都没关系，只要能算出来就行。”

“先算从黑云上面下去几个小妖后，新的小妖还没上去前黑云上的小妖数。”

“怎么算？”猪八戒对数学也产生了兴趣。

数学猴说：“我把这时的小妖数设为 1 。由于后来又

上去了三分之一，黑云上的小妖变成了 $1+\frac{1}{3}=\frac{4}{3}$。这 $\frac{4}{3}$ 是 32 名，可以求出小妖还没上去时，黑云上的小妖数为 $32\div\frac{4}{3}=24$ 名。”

猪八戒忙问：“几男，几女？”

数学猴说：“32 - 24 = 8（个），这说明上去了 8 个小妖才变成了 32 个。而上去的小妖是女的比男的多 2 个。可以肯定 8 个中有 5 个女的，3 个男的。”

“我也学着算吧！”猪八戒说，“32 个小妖中男妖、女妖各一半，女妖有 16 名，上去了 5 个女的才有 16 个，说明在 24 个中，有 16 - 5 = 11 个女妖。男妖就是 24 - 11 = 13 个。”

“算得好！”数学猴夸奖说，“人家都说猪脑子笨，我看八戒够聪明的！”

“承蒙夸奖！”猪八戒问，“可是最初黑云上有多少妖怪，以及有多少男妖？多少女妖？我还是不知道啊！”

“别着急，咱们接着算。”数学猴说，“我还是设最初的小妖数为 1 。”

“慢！”猪八戒拦住，“你刚才已经设了 1 了，怎么这儿又设 1？”

数学猴解释：“我设的这个 1 ，其实是 1 份的意思。从黑云下去了三分之一的小妖，黑云上还有多少小妖？”

猪八戒想了一下："嗯——我知道了，刚才算出来黑云上的小妖有24个，其中男的13个，女的11个。"

数学猴说："说得对！下去了三分之一的小妖，黑云上还剩$1-\frac{1}{3}=\frac{2}{3}$，这$\frac{2}{3}$是24个小妖，最初的小妖数是$24\div\frac{2}{3}=36$（个）。"

猪八戒问："最初的男妖、女妖各有多少呢？"

"$36-24=12$，说明下去了12个小妖。而这12个小妖中，男的比女的多2个。可以知道男的7个，女的5个。"

猪八戒赶紧说："我会算了！最初男妖有$13+7=20$（个），女妖有$11+5=16$（个）。还是男妖比女妖多。"

数学猴有点不明白："八戒，你为什么如此关心女妖？"

猪八戒有点不好意思："我见了女的就全身无力，我打不过女的！这次你去消灭那16个女妖，我去对付那20个男妖！"

猪八戒说完拿着钉耙就去追赶妖精："20名男妖给我留下，我一耙一个，都把他们耙成筛子！"

女妖问猪八戒："那，谁和我们过招儿？"

猪八戒一指："你们去找那个数学猴！"

女妖一声怪叫，齐奔数学猴："数学猴快来接招！"

数学猴一捂脑袋："哇！我怎么办哪？硬着头皮上吧！"

边打边换

数学猴刚和女妖交上手，猪八戒慌慌张张地跑来：“不好啦！小猴哥救命！”

数学猴问：“八戒，怎么啦？”

猪八戒向后一指，只见一个四手怪追来，四手怪 4 只手分别拿着宝剑、砍刀、狼牙棒、大锤。

四手怪大叫：“猪八戒你哪里走！”

数学猴不解：“八戒，你那么大本领，会打不过他？”

猪八戒抹了一把头上的汗：“如果他好好跟我打，他哪里是俺老猪的对手？可是他边打边换手里的武器。你看他现在 4 只手拿武器的顺序是宝剑、砍刀、狼牙棒、大锤。你再看我和他打上一场！”

猪八戒迎上前去，抡耙就打：“四手怪，吃俺一耙！”

四手怪叫道：“看我的变化！”刹那间四手怪 4 只手拿武器的顺序变成了狼牙棒、宝剑、大锤、砍刀。

猪八戒说：“他这一换手，我的眼就有点花，头就有点晕！他 4 件武器一齐上，我就不知道对付哪件武器好了！”

说着猪八戒的腿上就被大锤打了一锤,猪八戒“哎呀”一声,倒在了地上。

四手怪不断变换4只手拿武器的顺序:“哇!我4只手拿武器的顺序变化无穷,让你猪八戒晕死为止!哈哈!”

猪八戒对数学猴说:“小猴哥,你给算算,这四手怪4只手拿武器的顺序,真是变化无穷吗?”

数学猴说:“可以算出来。为了简化问题,可以先让他第一只手固定拿着宝剑,而让其他3只手变换拿法。

第一只手	第二只手	第三只手	第四只手
⑴宝剑	砍刀	狼牙棒	大锤
⑵宝剑	砍刀	大锤	狼牙棒
⑶宝剑	狼牙棒	砍刀	大锤
⑷宝剑	狼牙棒	大锤	砍刀
⑸宝剑	大锤	狼牙棒	砍刀
⑹宝剑	大锤	砍刀	狼牙棒

这时有6种拿法。”

猪八戒的脸色由多云转晴:“咳,才有6种拿法,不多,不多!”

数学猴提醒:“这只是在第一只手拿着宝剑固定不变的条件下有6种。”

猪八戒忙问:“如果第一只手不固定拿着宝剑呢?”

数学猴说:“第一只手固定拿砍刀又6种,拿狼牙棒

又 6 种，拿大锤又 6 种。一共 6 × 4 = 24 种。”

猪八戒来了精神：“只要他的变化有数，我就不晕。四手怪，看我的变化！长！”猪八戒突然又长出两只手，4 只手拿着 4 把钉耙。

猪八戒的 4 把钉耙和四手怪的 4 件武器，一对一地打在了一起：

“叮！叮！”“当！当！”

猪八戒一用力，把四手怪的 4 件武器全钩了过来：“你别瞎换喽，都给我过来吧！”

四手怪大惊：“啊，我的家伙全没了！”趁四手怪愣神的功夫，猪八戒赶上去就是一耙：“吃俺老猪一耙！”

四手怪大吼一声：“啊——没命了！”猪八戒打死了四手怪。

猪八戒晃了晃脑袋，问：“20 个

男妖，我打死 1 个还剩多少个？”

数学猴乐弯了腰：“哈哈，八戒，你是杀晕了吧？ 20 减 1 这么简单的减法都算不出来？还剩 19 个呀！”

猪八戒一本正经地问：“我要把这 19 个小妖平均分成 4 等份，每份几个小妖？”

“这——”数学猴愣了一下，“如果不把其中的一个小妖劈成四等份，是没法分的。”

猪八戒摇头晃脑地说：“我有一个习惯，必须把小妖平均分成 4 份，我一份一份地消灭！你算不出来，这些小妖可全归你啦！”

数学猴眼珠一转：“按每份 5 个算，你打吧！”

“好啦！杀——”猪八戒和 5 个小妖战在了一起。打死 5 个小妖，又去找 5 个小妖打。不一会儿，小妖死伤一地，最后只剩下 4 个男小妖。

猪八戒问：“这最后一组怎么只有 4 个男小妖了？ 4 个我怎么打法？”

数学猴说：“没关系，我给你补上一个女妖就正好 5 个。”

猪八戒听说女妖：“什么？女妖？我的妈呀！快跑吧！”说完撒腿就跑。

数学猴摇摇头：“八戒见到女妖就跑，什么毛病？”

智斗蜘蛛精

ZHIDOUZHIZHUJING

猪八戒没跑几步就被蜘蛛精、狐狸精、老鼠精、蛇精 4 个女妖围在了中间。

蜘蛛精尖声叫道："大耳朵和尚，你往哪里走！"

猪八戒大吃一惊："啊！ 4 个女妖！" 4 个女妖排成一个方阵（图 3 ），把猪八戒围在中央，各持武器齐攻猪八戒。

鼠	狐
蛛	蛇

图 3

蛇精呼喊着："杀死猪八戒，吃红烧猪肉！"

"吃俺老猪的肉还不行，还要红烧一下，"猪八戒生气啦，"俺老猪不愿意和你们这些女妖斗，难道还真怕你们不成？看耙！"猪八戒抡耙就砸。

看到猪八戒的钉耙砸来,蜘蛛精喊道:“姐妹们,变阵!”

三个女妖齐声答应:“是!”4个女妖的位置发生了变化(图4)。

蛛	蛇
鼠	狐

图4

蜘蛛精又喊:“姐妹们,变!变!变!”4个女妖的位置不断地变化,猪八戒又开始头晕了。

猪八戒捂着脑袋,高叫:“哎呀!晕死我了!”

猪八戒败下阵来,他拖着钉耙来找数学猴。

“小猴哥,救命!晕死我了!”

“八戒,不要怕!这4个女妖谁是头?”

“发号施令的是蜘蛛精!”

“擒贼先擒王,你集中力量打蜘蛛精!”

听说打蜘蛛精,猪八戒来了脾气:“你站着说话不腰疼!她们4个女妖位置乱换,我知道蜘蛛精在哪个位置上?我往哪儿打呀?”

数学猴说:“她们位置好像是乱换,其实它的变化是有规律的。八戒,你再去和她们战上几个回合。”

猪八戒极不情愿地前去战斗:“我如果一喊‘晕’,你可马上来救我!”

数学猴点头:“你一晕就下来。”

猪八戒抡起钉耙直奔4个女妖杀去:“我老猪吃了抗晕药了,现在已经不晕了,再和你们大战三百回合!看耙!”

猪八戒又和 4 个女妖战在了一起。

蜘蛛精下令:“姐妹们,准备变阵！变！变！变！”女妖又开始不断变阵,数学猴在一旁记录。

猪八戒又有点招架不住,他喊着:“小猴哥,你快记,我又犯晕啦！”

猪八戒拖着钉耙败下阵来:“不成了,晕死我啦！”

数学猴扶住猪八戒,说:“你没白晕,我找到她们的变化规律了！”

数学猴拿出画的图(图 5)给猪八戒讲:“为了研究方便,我把每个位置都编上一个号,她们是这样变化的。”

1	2
3	4

图 5

开始

鼠	狐
蛛	蛇

第一次

蛛	蛇
鼠	狐

第二次

蛇	蛛
狐	鼠

图 6

猪八戒摇晃着脑袋:“看不懂！”

数学猴解释说:“蜘蛛精刚开始时在 3 号位置, 她的变化规律是 3 — 1 — 2 — 4 — 3 。是按顺时针方向转动(图 6),每变化 4 次又回到原来的位置。”

猪八戒两手一摊:“找到规律有什么用啊? 她们一变阵,我还是不知道蜘蛛精在哪儿呀！”

数学猴说:“你把四个位置号码记住, 她们每变一次阵, 你就喊一次, 我让你往哪个位置上打, 你就往哪个位置上打！怎么样？”

“行！”猪八戒和4个女妖打在了一起。

猪八戒边打边喊：“一次变阵——二次变阵……10次变阵。”

数学猴忙喊：“往2号位置上打！”

猪八戒狠命往2号位置打了一耙：“蜘蛛精，你看耙吧！”

只听“嘭”的一声，蜘蛛精惨叫：“啊——完了！”猪八戒把蜘蛛精打死了。

其他女妖见头目已经死了，一哄而散：“快跑！”

猪八戒拍着数学猴的肩头：“小猴哥，你还真有两下子！你是怎么算的？”

数学猴说：“她们4次为一个循环。蜘蛛精的位置变化规律是：变一次时她在1号位置，变两次时在2号位置，变三次在4号位置，变4次在3号位置……”

猪八戒问：“你怎么知道第十次变阵，蜘蛛精准在2号位置？”

“在她变到第十次时，我就做了一个除法：$10 \div 4 = 2 \cdots\cdots 2$。余数是几，她准在几号位置，现在余数是2，她肯定在2号位置！”

猪八戒一挑大拇指：“小猴哥办法真高！”

公蜘蛛精报仇
GONGZHIZHUJINGBAOCHOU

猪八戒拉住数学猴的手，说："小猴哥，谢谢你的帮助！"

"能和大名鼎鼎的天蓬元帅猪八戒认识，也是我数学猴的福分。我还有事，八戒再见啦！"数学猴和猪八戒分手了。

猪八戒扛着钉耙，嘴里哼着小曲，独自往前走："打死妖精多快活！啦、啦、啦！再找点好吃的多美妙！啦、啦、啦！"

突然一只大蜘蛛精拦住了八戒的去路："该死的猪八戒，竟敢打死我的爱妻！拿命来！"

"哈，我打死一只母蜘蛛精，这又来了一只公蜘蛛精。我让你和你老婆作伴去吧！看耙！"八戒和公蜘蛛精打在了一起。

两人大战了有一百回合，八戒渐渐不是对手。

八戒心想："我只长了两只手，你却长有 8 条腿，我顾上顾不了下,顾左顾不了右呀!”

“三十六计,走为上。我跑吧!”八戒虚晃一耙,转身就跑。

公蜘蛛精大叫:“猪八戒,你哪里跑!”紧紧追赶。

猪八戒跑得呼哧带喘,突然迎面来了几只蜻蜓精,个个都有三层楼高,堵住了八戒的去路。

蜻蜓精大喊:“猪八戒,你哪里走!”

八戒大吃一惊:“呀!这么大个的蜻蜓!我换条路跑。”

八戒另找逃跑的道路,几只蝉精又拦住了去路。

蝉精喝道:“此路也不通!”

八戒边跑边叫:“小猴哥救命!”

公蜘蛛精说:“别说叫小猴哥,就是叫大猴哥也没用

啦！”蜘蛛精、蜻蜓精、蝉精在后面紧追不舍。

数学猴出现了，他一把把八戒拉进山洞里：“八戒，快进山洞！”

看见了数学猴，八戒忙说：“小猴哥救命！”

数学猴说：“蜘蛛、蜻蜓、蝉都怕鸟。我们必须请鸟来帮忙！”

八戒催促：“那你就快点请鸟来吧！”

数学猴问：“你必须告诉我有多少只蜘蛛精？多少只蜻蜓精和蝉精？我好决定请多少只不同种类的鸟来吃他们。”

八戒想了想：“我只记得这三种妖精总共是 18 只，共有 20 对翅膀，118 条腿。”

“我来算算。蜘蛛有 8 条腿，蜻蜓有 6 条腿和两对翅膀，蝉有 6 条腿和一对翅膀。”数学猴开始计算，“假设这 18 只都是蜘蛛精，应该有 $8 \times 18 = 144$ 条腿。实际腿数少了 $144 - 118 = 26$ 条，蜻蜓或者蝉比蜘蛛少 2 条腿，$26 \div 2 = 13$，说明 18 只中有 13 只或是蜻蜓，或是蝉。”

八戒也算：“$18 - 13 = 5$，这里有 5 只蜘蛛精！对不对？”

“对！假设这 13 只都是蜻蜓精，应该有 $2 \times 13 = 26$ 对翅膀。”

八戒抢着说：“实际上只有 20 对翅膀，每只蜻蜓精比蝉精多出一对翅膀，$26 - 20 = 6$ 对，说明其中有 6 只是蝉精。13 - 6 = 7只蜻蜓精！”

数学猴点点头：“行！八戒数学有长进！”

数学猴用手作喇叭状，向天空叫喊：“噢——噢——鸟儿快来呀！”

呼啦啦天空中飞来了一大群鸟。

为首的凤凰招呼同伴：“这有蜘蛛、蜻蜓、蝉，都是好吃的！快吃呀！”

众鸟呼应：“吃呀！吃呀！”

公蜘蛛精长叹一声：“完了，克星来了！”没一会儿，蜘蛛精等被消灭了。

分吃猪八戒

FENCHIZHUBAJIE

猪八戒高兴极了："哈哈！鸟儿一到，把蜘蛛精、蜻蜓精、蝉精都消灭了！"

突然从山洞窜出一胖一瘦两只狼精。

瘦狼精心中窃喜："嘻！肥头大耳猪八戒。"

胖狼精咽进一口口水："一顿美餐！"

胖狼精趁八戒不注意，一把将八戒拉进了山洞："乖乖，跟我进来吧！"

八戒高喊："小猴哥救命！"

"八戒！"数学猴刚想进洞救八戒，瘦狼精把山洞门关上了。

瘦狼精说："请留步，猴子太瘦，白送我们都不吃！"

进洞后，胖狼精把八戒捆在石柱上，瘦狼精在大锅里烧开水。

胖狼精催促说："老弟，快烧水，好炖猪肉啊！"

瘦狼精点点头："好的！我也饿

着哪！”

八戒问：“你们俩是准备一次把我都吃了？还是分几次吃？”

胖狼精捋了一下袖子：“过过瘾，一次吃完了算啦！”

瘦狼精却不同意：“别那么奢侈啊！好日子也不能一天过了，咱俩第一次多吃点，吃了他的一半再多 5 千克。第二次少吃点，吃剩下的一半再少 10 千克。最后还要剩下 75 千克。”

胖狼精摇摇头：“你真抠门！那第一次咱们才能吃多少肉啊？”

“我算算。”瘦狼精说，“必须先求出猪八戒有多重。”

“怎么算？”

瘦狼精说：“要用倒推法，从后往前算。第二次吃完还剩下 75 千克肉，那么第一次吃完还剩下多少呢？剩下 $(75-10)\times 2=130$（千克）。”

胖狼精有点傻，他问：“为什么这样做？不明白。”

瘦狼精解释："由于'第二次是吃第一次剩下的一半再少 10 千克，才最后剩下了 75 千克'，因此，这 75 千克一定比剩下的一半多出 10 千克。从 75 千克中减去 10 千克，必然是第一次剩下的一半。"

胖狼精有些明白："把这一半再乘 2，就是第一次吃剩下的一半了。明白了。"

瘦狼精接着算："猪八戒有多重呢？由于 130 千克比猪八戒的一半还少 5 千克，所以猪八戒重量是（130 + 5）× 2 = 270（千克）。"

胖狼精掰着手指算："这么说，第一次吃 135 + 5 = 140 千克，第二次吃 65 - 10 = 55 千克，最后剩下 75 千克。"

瘦狼精说："就是这么一笔账！"

胖狼精有个问题："咱们算出猪八戒有 270 千克，他有那么重吗？"

瘦狼精十分肯定地说："我看只重不轻。"

数学猴在洞外咚咚敲门："快开门！快放出猪八戒！"

瘦狼精接着烧开水，胖狼精继续磨刀。

瘦狼精朝外面喊："小猴子，老实在外面等着，待一会儿赏你几根猪毛尝尝！"

胖狼精笑着说："哈哈！吃猪毛？别有一番味道！"

数学猴一看，叫门没用，转身走："你们俩等着，我去找老熊去！”

胖狼精听说找老熊，心里一惊：“不好！老熊身强体壮，咱俩做的门，他一撞就开！”

八戒听了可高兴了：“哈！撞开门，我就有救啦！”

瘦狼精眉头一皱：“别慌！老熊有勇无谋，我们只能以智取胜！”

胖狼精问：“怎么以智取胜？”

瘦狼精先写出一个除法式子，然后说：“你看！这‘密’字是一位数字。”

```
        密 密
密密 ) 密 2 密
       密 密
       ------
          密 密
          密 密
       ------
              0
```

瘦狼精说：“要是老熊能解出这个‘密’字代表哪个数字，才能进洞！”

胖狼精一竖大拇指：“好主意！老熊的数学还不如我哪！”

数学猴引着老熊来到洞前，数学猴往洞里一指：“猪八戒就在洞里。”

老熊刚要撞门，突然一愣：“这里还有算术？”老熊看到洞门上的除法算式就傻了。

救出猪八戒
JIUCHUZHUBAJIE

老熊摇头说:“我有劲,可是不会解数学题。”

“我来解。”数学猴指着除法算式解释,“这个‘密’字到底代表哪个数字,必须通过计算才能知道。”

```
        密 密
密 密 ) 密 2 密
        密 密
        ─────
          密 密
          密 密
        ─────
              0
```

老熊说:“你算,我看。”

数学猴:“你说,最后余数为 0 ,说明什么?”

老熊摇摇头:“不知道。”

数学猴解释:“这说明三位数‘密 2 密’可以被二位数‘密密’整除,商是‘密密’。”

老熊摇晃着脑袋说:“这都是什么乱七八糟的,都把我‘密’糊涂了!”

数学猴很有耐心,他在地上边写边说:“根据乘法和除法互为逆运算的道理,有密密×密密 = 密 2 密。这里

‘密’字最大只能取 3 。”

老熊把脖子一梗，来了熊劲儿：“我偏要取 4 ，会怎么样？”

“上面的乘法是两个两位数相乘，得一个三位数。如果这两个乘数的十位数都是 4 ，乘积必然是四位数了。”

老熊点头：“对，四位数就不是‘密 2 密’了。”

数学猴开始具体算：“我先试试‘密’字取 3 怎么样？ $33 \times 33 = 1089$ 。”

老熊连连摇头：“不成，不成！这里出现了四位数了。”

“再试‘密’字取 2 ， $22 \times 22 = 484$ 。”数学猴说，“这个也不成，因为两个乘数都是 22 ，而乘积是 484 ，这里 2 和 4 不一样啊！4 不是‘密’字，2 才是‘密’字。”

老熊说：“就剩最后一个 1 了。”

“ $11 \times 11 = 121$ ，嘿！这个成了。”数学猴高兴地跳了起来。

“哈哈，终于成功啦！”老熊用 1 替换除法算式中的“密”字，得：

$$\begin{array}{r} 11 \\ 11\overline{)121} \\ \underline{11} \\ 11 \\ \underline{11} \\ 0 \end{array}$$

老熊一推门，山洞门就开了：“嘿，门真开了！”

数学猴忙说：“快进去救八戒！”

胖狼精一看老熊闯了进来，双臂用力大喊一声：“呀

——呀——长！”胖狼精变成一条巨狼，张口来咬：“我吞了你们！”

老熊也不含糊：“难道我还怕你不成？长、长、长！”老熊也长成一个顶天立地的巨熊。

巨熊挥起一拳：“尝我一拳！”“咕咚！”一声把“巨狼”打翻在地。

胖狼精大叫：“哎呀！我再胖也没用！”

瘦狼精心想：“胖狼精都不是老熊的对手，我更不成！我赶紧溜吧！呀——呀——缩！”瘦狼精变成一只小狼，企图溜走。

老熊早就看在眼里：“你变成耗子大小，也别想跑！”老熊伸手把变小的瘦狼精抓在手中。

瘦狼精直蹬腿：“熊爷爷饶命！”

老熊狠狠地说：“去你的吧！害人精！”老熊用力往地上一摔，只听“砰”的一声把瘦狼精摔死在地。

“八戒，我来救你！”数学猴救下八戒。

八戒感谢老熊：“要不是老熊和小猴哥来救，我上半段已经被他们吃了，我下半段被他们第二次吃，我中段给他们腌起来等着慢慢吃。”

数学猴说：“八戒，没我什么事了，咱们再见吧！”

八戒说：“恐怕待不了多一会儿，我还得叫你！”

SIZHUBIGAODI
四猪比高低

八戒扛着钉耙哼着小曲在路上走着："没被老狼吃掉多快乐，多呀多快乐！"

突然，八戒闻到阵阵香味，肚子立刻发出饥饿声"咕噜，咕噜"。

八戒吸了吸鼻子："哎，哪来的香味？真香呀！我肚子饿极了。"

八戒往四周张望，发现有 3 只猪精正围在一起烤 1 只兔子，这 3 只猪是 1 只长有獠牙的野猪精，1 只是花猪精，1 只是白猪精。

八戒咽了咽口水，凑了过去："嘿，烤兔肉，香哪！"

野猪回头看了一眼猪八戒，说："香也不给你吃！"

八戒一听没自己的份儿，心里十分不快，他和 3 个猪精论理："我乃赫赫有名的猪八戒！你们没听说过'见面分一半'吗？"

没等猪八戒说完，花猪就说："分一半？美了你！这么一只小兔子，我们 3 人还没法分哪！你来算老几啊！”

八戒眼珠一转，心想还是先礼后兵：“你说得在理！这么一只小兔子分成几份，每人吃那么几口，只能逗出馋虫来！”

白猪问：“你说怎么办？”

八戒说：“我有个好主意！咱们4猪来个比试武艺，每两猪之间都要比试一次，不许战平，谁胜的场次最多，谁就是猪王，这只烤兔子当然应该给猪王吃啦！”

“好主意！我正手痒痒，拿你练练手吧！看钩！”野猪抽出虎头双钩，直奔八戒杀去。

八戒说了一句：“来得好！烤兔子归我喽！”举起钉耙迎了上去。

"杀！""杀！"八戒和野猪，花猪和白猪捉对厮杀，直杀得天昏地暗。

杀了有一个时辰，八戒渐渐不是野猪的对手，八戒赶紧喊了一声："换！"八戒又和花猪，野猪又和白猪杀在了一起，"杀！""杀！"

野猪端着虎头双钩，朝天大笑："哈哈！猪八戒被我战败了！"

又战了有一个时辰，野猪让大家住手："停！咱们一对一地都打完了，谁胜的场次最多要算一算呀！"

八戒累得直喘气，巴不得歇会儿："对！算完了好吃烤兔子肉啊！"

野猪神气十足地说："反正我是战胜猪八戒了！"

白猪想了想，说："我记得野猪、花猪和我胜的场次相同的。"

花猪双手一摊："可是咱们4个谁会算哪？"

八戒凑前一步："咱们4个都是傻大黑粗的笨家伙，谁也不会算。可是我有一个小猴哥，嘿！那数学就别提多棒了！我这就叫他来。"

八戒扯着脖子喊："数学猴！小猴哥！你快来，我有要紧事找你！"

没过多会儿，数学猴从树上跳了下来："八戒，什么事？是不是又遇到妖精啦？"

"既是妖精又是同类。"八戒说，"请你帮忙给算一算，我们 4 个谁胜的场次最多。"

数学猴一边听他们说战斗的结果，一边在地上画图（图 7）。

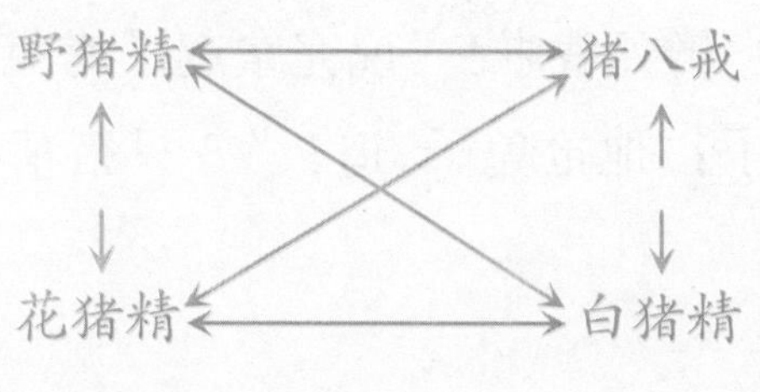

图 7

数学猴指着图说："从图上你们可以看出来，你们一共比试了 6 场。"

数学猴分析："由于你们每只猪都要比试 3 场，因此每只猪获胜的场次可能是 0 场、1 场、2 场、3 场。"

野猪点头："对！"

八戒却着急："你快告诉我胜了几场吧！"

数学猴指着猪八戒说："知道你已经败给了野猪精一场，八戒你获胜的场次只能是 2 场、1 场或 0 场。"

八戒一扬头："我一定是胜了 2 场！"

数学猴继续分析："由于比试了 6 场，又规定不许战平，因此有 6 场胜利。如果你八戒胜了 2 场，他们三个一共胜了 4 场，可是他们胜的场次相同，而 4 又不能被 3 整除，所以你胜 2 场是不可能的。”

八戒有点不服：“我没胜 2 场，肯定胜了 1 场！”

“你如果胜 1 场，他们一共胜了 5 场，5 也不能被 3 整除啊！结论只能有一个，你胜了 0 场，也就是说，你全败！”

八戒一听自己一场没胜，眼珠一转：“一场没胜，烤兔子也要归我！馋死我啦！”说完拿起了烤兔子，撒腿就跑。

野猪急了：“他抢兔子，追！”3 只猪精在后面紧紧追赶。

早点上西天

ZAODIANSHANGXITIAN

数学猴和猪八戒一起逃跑,八戒边跑边吃烤兔子:"烤兔子真香!你来一口。"

数学猴摇摇头:"我不吃。听人家说,你八戒功夫不错啊,怎么会打不过3只小小的猪精?"

八戒一脸苦相:"我肚里没食啊!你没听说'猪是铁,饭是钢'嘛!"

"不对!是'人是铁,饭是钢'!你吃多少个馒头就能打败他们?"

"有馒头?我吃不了多少!我先吃24个,再吃37个,吃15个,吃16个,吃45个,最后用13个馒头溜溜缝儿,就差不多了!"

数学猴大吃一惊:"世界头号饭桶!我算算你要吃多少个馒头吧!

24 + 37 + 15 + 16 + 45 + 13

=(37 + 13)+(24 + 16)+(15 + 45)

= 50 + 40 + 60 = 150个。"

"才150个,不多!吃个半饱!唉,你刚才做加法时,为什么要加上3个括号呀?"

"我用的是'凑10法',把能凑成10的两个数,放在一起计算,这样算起来容易。八戒,你等着,我去给你找馒头去。"说完数学猴一晃,就没影了。

过了一会儿,数学猴赶着一辆驴车,拉来一车馒头。数学猴指着驴车说:"车上是200个馒头,你敞开吃吧!"

八戒大嘴一咧,大拇指一竖:"小猴哥,真是好兄弟!我就不客气了,吃!"

"吭哧,吭哧",转眼功夫,八戒把一车馒头都吃了。

八戒抹了抹嘴,打了一个饱嗝:"咯—— 200个馒头进

肚,我要把3只小猪精打个屁滚尿流！小猪精快来受死！”

这时追赶八戒的猪精也赶到了。不过,出现在眼前的除了野猪精、花猪精、白猪精,又多了一只狼精,一只黑熊。

野猪精指着猪八戒叫道:“八戒！还我们的烤兔子！”

八戒拍拍自己的大肚子:“嘿嘿,烤兔子早进到我的肚子里了！你进我肚子里去取吧！”

野猪精一挥手:“弟兄们,上！”5个妖精把八戒和数学猴团团围住。

八戒高举左手,喝道:“慢！我要让小猴哥给我算算,我怎么打法,才能使你们等死的时间最少,也好让你们个个都快点上西天哪！”

听了猪八戒的话,数学猴有点憋不住了:“八戒,你先要告诉我,你消灭这5个妖精各需要多少时间?”

“我算算啊。”八戒一本正经地算了起来,“我打死野猪精、花猪精、白猪精分别需要10分钟、12分钟、15分钟。狼精嘛,需要20分钟。黑熊个大,最费事,要24分钟才能把他打死！”

“按着这样的顺序打最省时间。”数学猴说,“野猪精,花猪精,白猪精,狼精,黑熊。”

八戒点点头说:“我看出来了。让死得快的妖精尽量往前排,这样等死的总时间才可能最少！”

数学猴夸奖说:“八戒聪明！”

八戒抡起钉耙，直奔野猪精砸去："我开始送你们上西天喽！杀！"

野猪精大嘴一撇："手下败将，竟敢口出狂言！打！"

数学猴在一旁记时："10分钟到！"

八戒大喝一声："野猪！吃爷爷的'搂头盖顶'！"

野猪大叫："哇！没命啦！"八戒一钉耙打死了野猪精。

数学猴又喊："12分钟到！"

八戒说："小花猪乖乖，吃我个'横扫千军'吧！"一耙横扫过去。

花猪精惨叫一声："哇！完啦！"

吃饱了的猪八戒，越战越勇，把5个妖精全部打死。

数学猴笑着说："5个妖精一个也没活！"

八戒"嘿嘿"一笑："小菜一碟，对了，我要快走，有人请我吃饭哪！"

八戒买西瓜

BAJIEMAIXIGUA

数学猴问猪八戒:“谁请你吃饭?”

八戒乐呵呵地说:“牛魔王!老牛!如果饭菜好,我会请你去的。拜拜!”八戒和数学猴挥手告别。

猪八戒腾云驾雾,只一会儿的工夫就来到牛魔王的住所芭蕉洞,牛魔王和铁扇公主在洞口迎接。

牛魔王问候说:“哈,八戒老弟,近来可好?”

“好、好。牛兄,牛嫂都好!”猪八戒想赶紧吃饭,自己率先进了洞。

还没等坐下,八戒就问:“今天请我吃什么?”

牛魔王知道猪八戒的饭量,忙说:“全是好吃的!管饱!”

八戒搓着双手:“可是我来得匆忙,什么礼物都没带,白吃饭不大好意思。”

牛魔王说:“八戒,咱们兄弟还客气什么。这样吧!

你嫂夫人喜欢吃西瓜,你去买一次西瓜吧！”

听了牛魔王的话,铁扇公主站起来阻拦:“大王,此事不可！谁都知道八戒粗心大意, 这1000个西瓜让他运,回来不会剩几个好的。”

八戒有点不高兴:“嫂夫人, 你也太看不起八戒了！我敢写军令状,如果西瓜损坏严重,八戒情愿受罚！”

铁扇公主也寸步不让:“好！咱们就写军令状！由牛魔王代劳。”

牛魔王很快就写出军令状:

军令状

八戒去买西瓜1000个,凡运回一个完整的西瓜,奖励猪肉馅包子一个。如果弄坏一个西瓜,不但不奖励一个猪肉馅包子,还要赔偿4个猪肉馅包子。

猪八戒

八戒看了军令状直摇头:“我说老牛,把猪肉馅包子换成别的馅包子,成不成？我不能自己吃自己的肉呀！”

“好说,换成羊肉馅包子吧！”

一大串牛车,满载西瓜在山路上行进,八戒在一旁对牛吆喝:“都给我拉得平稳点！谁不好好拉车,回去我改吃牛肉馅包子啦！”

一头牛央求:“猪八戒,千万别把我们宰了做牛肉馅！”

这头牛一紧张,车子一歪,几个西瓜滚了下去,八戒

赶紧去扶车。

八戒大叫："我的西瓜呀！这是怎么说的？我说要出事来着！"

只听"骨碌、骨碌，啪"！西瓜摔碎了不少。

八戒心疼得直跺脚："我说牛呀！牛！你摔的不是西瓜，是羊肉馅包子！你靠边！我自己拉还稳当点！"八戒亲自拉车。

这头牛不服气："你自己拉？那样摔的西瓜会更多，你回去恐怕要改吃猪肉馅包子啦！"

八戒听说猪肉馅包子，大怒："大胆！敢吃猪爷爷的肉！"他一挺身，"骨碌、骨碌，啪！啪！"又有几个西瓜滚下了车摔坏了。

拉车的其他的牛都笑了："哈哈！他摔得更多！"

八戒忿忿地说："你们等着，回去我再跟你们算账！"

拉西瓜的车队经历了千辛万苦，终于到了芭蕉洞洞口，八戒冲洞里喊："牛哥，牛嫂，快来搬西瓜吧！"

牛魔王和铁扇公主迎了出来："嘿！八戒还真成，没把西瓜都摔了！"

八戒抹了一把头上的汗："嫂子给我数数，我摔了多少西瓜？我能吃到多少包子？”

“我来数！”铁扇公主认真数了一遍，“西瓜我数过了，我只告诉你可以吃到 895 个羊肉馅包子。但你必须告诉我，你一共摔坏了多少个西瓜，说不出来，一个包子也别想吃！”

“啊！”八戒立刻傻眼了。没别的办法，只能找数学猴来帮忙。

八戒又开始呼叫数学猴：“小猴哥快来呀！我这儿出事啦！”

数学猴一溜小跑了进来：“八戒，出什么事啦？”

八戒噘着大嘴说：“算不出摔坏的西瓜数，不给包子吃！”

“放心，一定让你吃上包子。”数学猴开始计算：“可以用假设法来解：假设一个西瓜也没摔坏，你应该得到 1000 个包子。实际上你少得了 1000 - 895 = 105 个包子。你摔坏一个西瓜，不但得不到 1 个包子的奖励，还要赔偿 4 个，合在一起少了 1 + 4 = 5 个包子。”

八戒抢着说：“往下我会做：105 ÷ 5 = 21 个。嘿，我才摔坏了 21 个西瓜，不多！嫂子，给我包子吃吧！”

谁是妖王？

SHUISHIYAOWANG

八戒张开大嘴，放开肚皮，一顿猛吃，吃足了包子，挺着大肚子一路走一路唱："八百多个包子进了肚，多呀多舒服！啦啦啦——"

土地神突然从地下钻了出来，拦住八戒的去路："猪大仙不可再往前走啦！"

"怎么回事？"八戒不解，"朗朗乾坤，坦坦大路，怎么不让往前走了？出事啦？"

"猪大仙有所不知，前面山上最近出了一个妖王和一个妖后，功夫十分了得，山上大小动物几乎被他俩吃光！"

"呵！还有比我能吃的？不行！你带着我去会会他俩。"八戒拉起土地神就走。

土地神连连摆手："去不得，去不得。小神可不敢去，危险哪！"

"有我八戒在，你怕什么？走！"八戒硬拉着土地神往前走。

土地神连连作揖："猪大仙，饶了小神吧！"

八戒不听那一套，拉着土地神继续往前走。忽然发现路边一个黑头发的小孩和一个黄头发的小孩"嘻嘻、哈哈"在玩耍。

土地神立刻停步，指着两个小孩说："这两个小孩就是妖王和妖后！"

八戒挺着肚子走上前问："嘿，你们两个谁是妖王？谁是妖后？"

黑发小孩冲八戒一笑，说："我是妖王！"

黄发小孩冲八戒一乐："我是妖后！"

土地神躲在八戒身后，哆哆嗦嗦地说："不对，不对，别听他俩的！他俩至少有一个在说谎！"

"谁在说谎？"八戒回头一找，土地神溜了。"溜得真快呀！"

八戒自言自语："俗话说'好男不和女斗'，我要打也要找妖王打呀！可谁是妖王呢？只好找我的小猴哥啦！小猴哥——快来呀——"

数学猴颠颠跑来了:“我刚走。怎么又叫我?”

“真不好意思。可是没你不成啊!快给我判断出谁是妖王吧!”

数学猴开始分析:“这两个小孩说的话有 4 种情况:‘对,对’、‘对,错’、‘错,对’、‘错,错’。”

八戒点点头:“是这么回事。”

数学猴继续说:“根据土地神说的,‘他俩至少有一个在说谎’,可以肯定‘对,对’是不可能的。”

八戒问:“那一对一错哪?”

“也不可能!比如说,‘我是妖王’这句话是错的,说明黑头发小孩是妖后。于是黄头发小孩说的‘我是妖后’也是错的。”

八戒有点明白:“我明白了!这两个小孩都在说谎。也就是说,黄头发的才是妖王!我打死这个妖王。”

八戒抡起钉耙直奔黄发小孩打去:“妖王,尝尝你猪

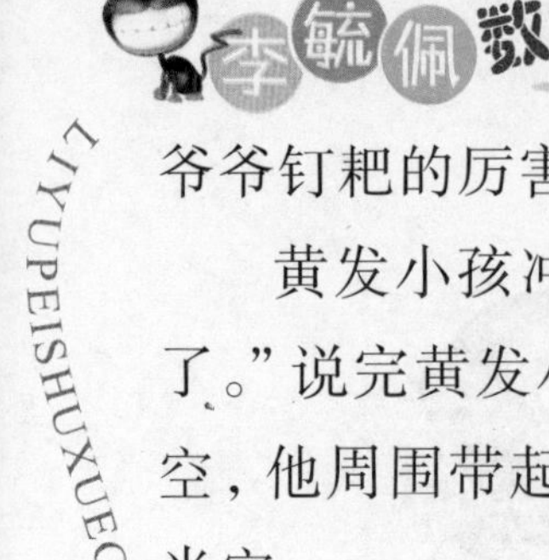

爷爷钉耙的厉害！嗨！”

黄发小孩冲黑发小孩一乐：“嘻嘻！咱俩有猪肉吃了。”说完黄发小孩喊了一声“起！”突然旋转着升上半空，他周围带起一股极强的黄色旋风，把八戒也卷上了半空。

八戒忙说：“嘿，嘿，你起来让我跟你干什么去？”

黄风卷着八戒“呜——”的一声飞进一个山洞。

八戒说：“我是免费旅游啦！”

“我赶紧去搬救兵！”数学猴刚想跑，黑发小孩甩出一根长绳：“小猴子，哪里走！”长绳把数学猴捆了个结结实实。

黑发小孩高兴地说：“先吃猪肉，再吃猴肉！”

猪八戒遇难

ZHUBAJIEYUNAN

山洞里，大锅里"哗哗"地烧着水，妖怪把猪八戒和数学猴分别捆在两根木桩上，两个小孩喊了一声："变！"他们自己变成一个黄发男妖，一个黑发女妖。

黄发男妖说："我说夫人，咱们又有好吃的了！咱们大吃一顿，解解馋。"

黑发女妖却说："大王啊！这山上的活物都被咱俩吃光了，这一头猪一只猴咱们可要省着点吃。"

"夫人说怎样吃法？"

"先吃猪八戒。我刚才称了一下猪八戒，他有 100 千克重。今天先吃$\frac{3}{10}$，明天再吃剩下的$\frac{2}{5}$。"

八戒忙问数学猴："小猴哥，他俩明天吃完了，我还能剩多少？"

数学猴一本正经地说："这要列个算式算哪！"

八戒一听，就着急了："我说小猴哥，我死到临头了，你数学那么好，就口算吧！"

“也好，我就说吧！算式是

$$100\times(1-\frac{3}{10})\times(1-\frac{2}{5})=100\times\frac{7}{10}\times\frac{3}{5}=42$$

千克。

他们明天吃完了之后，你还剩下 42 千克。”

八戒摇摇头：“我就剩下这么点？你没算错吧？”

“错不了！”数学猴解释，“你体重 100 千克，他俩今天先吃$\frac{3}{10}$，剩下$\frac{7}{10}$。明天再吃剩下的$\frac{2}{5}$，还留下$\frac{3}{5}$，把三个数连乘就得到最后剩下的 42 千克。没错！”

八戒叹了一口气：“唉，还剩 42 千克！也就剩个猪头！”

“多！多！”数学猴说，“过去人们常说‘一个猪头八斤半’，合 $4\frac{1}{4}$千克。你的脑袋能有 42 千克重？也太重了！”

八戒“嘿嘿”一笑：“脑袋大了不是聪明嘛！”

黄发妖恶狠狠地说：“猪八戒，你死到临头，还开玩笑？我这就送你上西天去！”说完手执尖刀，就要杀猪八戒。

“慢！”黑发妖拦阻说，“大王，你没有研究一下把猪八戒分解开，有多少种分法？”

“先卸四肢呀！按着卸左胳臂、右胳臂、左腿、右腿是一种；按着右胳臂、左胳臂、左腿、右腿又是一种，这可多了！”

黑发妖说：“再多也有个数呀！我算了一下，单是卸四肢就有 $4 \times 3 \times 2 \times 1 = 24$ 种不同的卸法。”

八戒在一旁搭话：“嘿！你们就别算啦！挑一种就行，我只受一次罪！”

眼见危险临近，数学猴提醒猪八戒：“你还不叫你大师兄孙悟空！”

“对呀！你不提醒，我还真忘了！”八戒敞开喉咙叫，“大——师——兄——孙悟空，快来救命啊！”

黑发妖催促：“大王，猪八戒呼叫孙大圣了，你还不快动手！”

“我这就动手！”黄发妖刚举起刀子，孙悟空从天而降。

孙悟空说：“来不及喽！俺老孙来也！”

黄发妖大吃一惊：“啊！这孙猴子来得这么快！”

孙悟空使棒，黄发妖使大刀，黑发妖使软鞭，“乒乒，乓乓！”3 人战在了一起。

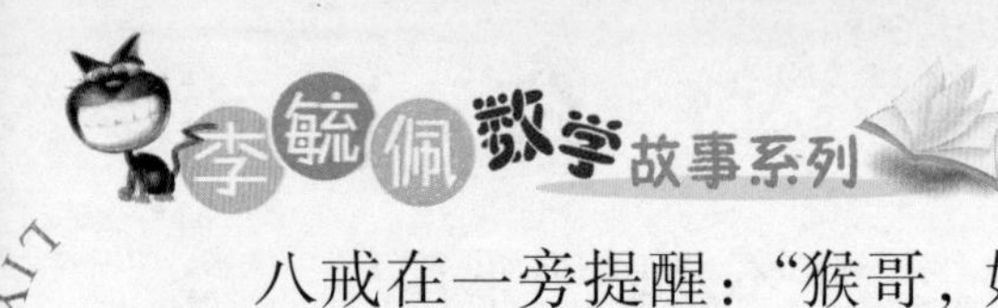

八戒在一旁提醒："猴哥，妖王会刮黄旋风，可厉害啦！能把你带上半空。"

果然黄发妖大喊一声："起！"只听"呜——"的一声又刮起黄色旋风。

孙悟空并不慌张，他从身上拔下一把猴毛，向空中一撒，猴毛都卷入旋风中。这些猴毛到旋风里变成无数个小孙悟空，围住妖王就打。

"打！打！打！"

黄发妖慌忙应战："呀！这么多孙悟空！"

八戒看得高兴，他问："猴哥，你变出多少个小孙悟空来？"

"我拔下 50 根猴毛，每根猴毛都能一个变两，两个变 4 个……一共可以变 5 次。你说有多少小孙悟空？"

八戒说："还是让小猴哥给算算，一共变出多少小孙悟空？"

数学猴回答："一共有 $50\times2\times2\times2\times2\times2=1600$ 个小孙悟空。"

妖王被众小孙悟空打落在地，妖王大叫："哇！我完了！"

"看棒！"孙悟空照着妖后就是一棒。

妖后惨叫："呀！没命啦！"妖后被孙悟空一棒打死了。

李毓佩数学故事系列

数学猴和孙悟空

LI YU PEI SHU XUE GU SHI XI LIE

荡平五虎精

DANGPINGWUHUJING

通过猪八戒的介绍,数学猴认识了孙悟空。八戒介绍说:“这是大猴哥孙悟空,这是小猴哥数学猴。”

数学猴一抱拳:“久仰孙大圣的大名!”

悟空“嘻嘻”一笑:“咱们都是猴子,一家人嘛!”

突然,山风大作,地动山摇。

八戒大叫:“不好!一股腥风刮来!”

“呜——”的一阵狂风过后,前面出现金色、银色、白色、黑色、花色 5 只虎精。

金虎精一指猪八戒,说:“我们兄弟五虎,明天都要结婚,想炖一锅红烧猪肉吃。想暂借猪八戒一用!”

八戒急了:“都把我做成红烧肉了,那还是借吗?吃进肚子里还能还吗?”

金虎精两只虎眼一瞪:“既然猪八戒不识好歹,弟兄们,上!”

5只虎精“嗷——”一齐扑了上来。

“还反了你们5只大猫!打!”孙悟空手执金箍棒,八戒抡起钉耙,数学猴赤手空拳和五虎战到了一起。

“杀——”“杀——”喊杀声不断。

天色已晚,金虎精下令收兵:“弟兄们,今天天色已晚,先各自回洞休息,明日再战!”

众虎精答应:“是!”

八戒累得敞开衣服,躺在地上大口喘气:“这5只恶虎还真厉害!照这样打下去,明天我大概要成红烧肉了!”

悟空皱起眉头:“要想个办法才成!”

数学猴灵机一动:“我听他们说,各自回洞,说明他们五虎不住在一起。咱们今天晚上一个一个消灭他们,来个各个击破!”

八戒翻了个身:“主意虽好,可是咱们怎么知道他们住在哪儿?”

孙悟空说:“这个好办!问问当地的土地神。土地神快出来!”

“吱”的一声,土地神从地里钻了出来。

土地神赶紧向孙悟空行礼:“大圣来此,小神未曾远迎,当面恕罪!”

孙悟空命令："快把五虎精的洞穴位置，给我详细画出来！"

土地神不敢怠慢，立即画出了五虎精所住洞穴图(图 1)。

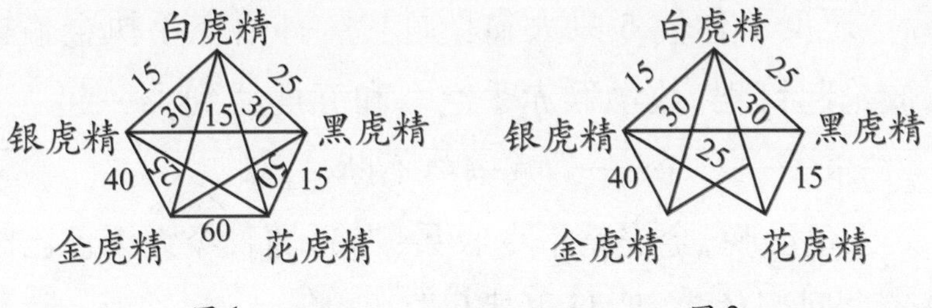

图 1　　　　图 2

土地神解释："图中所标数字是两洞的距离，单位是最新国际单位'千米'。"

孙悟空说："我们一定趁天黑，要把他们消灭掉，再返回此地！关键是要找一条最短的路径。"

八戒建议："这种事数学猴最拿手！"

数学猴先擦去 50 千米和 60 千米两条最长的路线(图 2)。

数学猴说："既然有这么多路线可以走，先擦去两条最长的路线，还剩下 4 条路线可走。"

数学猴列出 4 条可走的路线：

金$\xrightarrow{30}$白$\xrightarrow{30}$花$\xrightarrow{15}$黑$\xrightarrow{15}$银$\xrightarrow{40}$金所走的距离为 $30+30+15+15+40=130$ 千米；

金$\xrightarrow{30}$白$\xrightarrow{25}$黑$\xrightarrow{15}$花$\xrightarrow{25}$银$\xrightarrow{40}$金所走的距离为 $30+25+15+25+40=135$ 千米；

金$\xrightarrow{30}$银$\xrightarrow{15}$黑$\xrightarrow{15}$花$\xrightarrow{30}$白$\xrightarrow{30}$金所走的距离为 $40+15+$

15 + 30 + 30 = 130 千米；

金$\xrightarrow{30}$银$\xrightarrow{25}$花$\xrightarrow{15}$黑$\xrightarrow{25}$白$\xrightarrow{30}$金所走的距离为 40 + 25 + 15 + 25 + 30 = 135 千米。

数学猴说："第一条和第三条路程最短。"

孙悟空一挥手："咱就挑第一条路程，走！先去找金虎精。"三人直奔金虎精的洞穴。

孙悟空带头钻进金虎精的洞穴，金虎精正在睡觉："呼噜——，呼噜——"

"你死到临头，还打呼噜？吃我一棍！"孙悟空举棍就打，一棍下去，"咚——"的一声。

金虎精大叫："哇——"

孙悟空接连又打死了白虎精、黑虎精和花虎精。

八戒不甘示弱："猴哥打死了 4 只，这只银虎精留给我啦！看耙！"猪八戒照着银虎精就是一耙。

银虎精叫道："金虎哥救命！哇——"

八戒拍拍身上的土："天还没亮，5 只虎精全部报销！"

孙悟空一竖大拇指："数学猴算得好！"

数学猴一竖大拇指："孙大圣打得好！"

"哈哈——"

擒贼先擒王

QINZEIXIANQINWANG

孙悟空一抱拳："我到前面山上找个朋友，马上就回来！"

八戒说："大师兄快点回来啊！"

孙悟空一个跟头翻下去，来到一个山洞，他向洞里喊："鹿仙子，俺老孙来看你来了！快出来！"

从洞里突然窜出一只狼精。

狼精指着自己鼻子问："孙猴子，你看我像鹿仙子吗？"

孙悟空吃了一惊："啊，老狼！鹿仙子呢？"

"噌、噌、噌"从洞里又窜出来野猪精、狐狸精和蛇精。

孙悟空问："难道鹿仙子被你老狼吃了？"

狐狸精冷笑着说："别冤枉狼大哥，鹿仙子是我们4人分着吃的。"

悟空十分愤怒，举棍就打："竟敢吃掉我的好友？拿命来！"

4个妖精排成图3形状，把悟空围在了中间。

狐狸精高声叫道："弟兄们别怕孙悟空，摆出我的迷魂阵来！打！"

狐狸	野猪
蛇	狼

图 3

蛇	狐狸
狼	野猪

图 4

悟空说："擒贼先擒王，你狐狸精肯定是头，我先打你！"悟空抡棒直奔狐狸打去。

狐狸精喊了一声"变"！

阵形立刻变成图 4 的形状，悟空扑了一个空，迎战他的已不是狐狸精，而是蛇精。

蛇精叫道："你奔我来了，让你尝尝我的毒液吧！噗——"蛇精喷出一股毒液。

悟空慌忙闪过："呀！这个位置上怎么变成蛇精了？"

悟空是死盯住狐狸精打，他又奔狐狸精打去："你跑到这儿来了！也要吃我一棍！"

狐狸又喊了一声"变"。

阵形立刻变成图 5 的形状，悟空又扑了一个空，迎战他的仍是蛇精。

狼	蛇
野猪	狐狸

图 5

蛇精说："看来你挺喜欢我的毒液，再送你一口！噗——"蛇精又喷出一口毒液。

悟空大叫一声："哇——我中毒啦！"

八戒对数学猴说："大师兄怎么这么半天还没回来？"

数学猴也不放心："咱俩去看看吧！"

八戒和数学猴按着孙悟空去的方向找去，走了一程，听到杀声震天，定睛一看，只见悟空被4个妖精围在中间。

数学猴一指："看！孙悟空被妖精围在了中间。"

八戒满不在乎："咳！对于大师兄来说，4个妖精算

得了什么？"

数学猴发现了异样："不对！孙悟空怎么步履蹒跚哪？"

八戒解释："你不懂，他耍的那叫醉棍！"

悟空中毒突然倒在了中间。

数学猴大喊一声："不好！孙悟空倒下了！"

"快去营救大师兄！杀呀！"八戒举着钉耙冲了过去。

数学猴赶紧扶起孙悟空："大圣，不要紧吧？"

孙悟空说："快去告诉八戒，专打狐狸精！狐狸精是

头，只是他的迷魂阵在不断地变化，我找不到狐狸精的准确位置。”

“容我仔细观察。”数学猴看了一会儿：“根据我的观察，他的迷魂阵是按顺时针方向旋转的！”

4个妖精围住孙悟空打得正欢，突然看见猪八戒来了。

狐狸精突然来了精神：“抓住猪八戒，吃红烧猪肉！”

八戒大嘴一噘：“倒霉！又遇到想吃红烧猪肉的了！”

数学猴在一旁指挥猪八戒战斗：“八戒，下一次往东南方向打！”

“好的，我听你的！”八戒举耙朝东南方向打去，这时狐狸精刚转到东南方向，八戒的钉耙就到了，正打在狐狸精的头上。

“看耙！”

狐狸精大惊：“啊！我刚转过来，钉耙就来了，完了！”

只听“砰！”的一声，狐狸精的脑袋开花。

狼精、蛇精、野猪精看到狐狸精死去，纷纷跪地投降：“别杀我们，我们投降！”

八戒开心地说：“哈！你们吃不上红烧猪肉了吧！”

悟空戏猕猴

WUKONGXIMIHOU

数学猴一回头，发现孙悟空不见了："咦？怎么孙悟空不见了？"

猪八戒摆摆手："猴哥？猴脾气，呆不住！由他去吧！"

这时土地神赶着一大群羊走了过来。

八戒好奇地问："真新鲜！怎么堂堂的土地爷改行放羊了？"

土地神尴尬地说："孙大圣让我放羊，我不敢不放呀！"

八戒问："你看见我大师兄了？他在哪儿？"

土地神指着羊群说："孙大圣就在羊群里。"

数学猴十分好奇："啊，孙悟空变羊了？哪个是孙悟空？"

一群羊围住数学猴，都说自己是孙悟空。

甲羊:“咩——我是孙悟空。”

乙羊:“咩——我是孙悟空。”

数学猴做孙悟空状:“照你们这样说,我还是孙悟空哪!”

土地神让羊排成一排,报数:“听我的口令,所有的羊排成一排,报数!”

“1,2,3……65,66。”羊依次报数。

土地神说:“这是66只羊,如果让它们‘一、二’报数,凡是报‘一’的下去。这样一直报下去,最后剩下的就是孙大圣!”

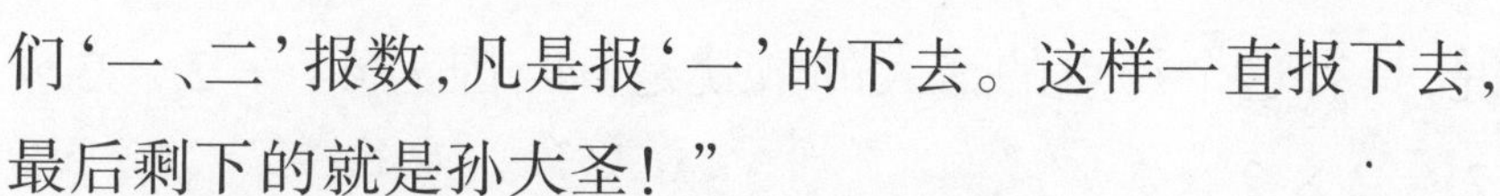

八戒说:“那就让他们报数吧!”

土地神摇摇头:“不成!大圣吩咐过,不许‘一、二’报数,要数学猴一次就把孙大圣指出来!”

八戒笑了笑:“这是大师兄考小师兄啊!”

“这难不倒我!看我的!”数学猴走到从右数第3只羊面前,“你是64号,你出来吧!”揪住这只羊的双角,往外拉。

“咩——”64号羊问,“你拉我干什么?”

数学猴说:“你是64号,你肯定是孙大圣,你出来吧!”

64号羊反问:“咩——你凭什么说我是孙大圣?”

“问得对呀!”八戒也上前问个明白,“你凭什么说他是孙悟空?”

"我问你,如果一排只有 3 只羊,'一、二'报数,报'一'的下去,最后剩下的是几号?"

八戒掰着手指数:"'一、二、一',1 号和 3 号数'一'下去了,剩下的是 2 号。"

"对!如果一排有 5 只羊,最后剩下的肯定是 4 号。"

八戒点点头:"对,我数了,是 4 号。"

数学猴说:"9 只羊一排,最后留下的肯定是 8 号。它的规律是 2,$4 = 2 \times 2$,$8 = 2 \times 2 \times 2$……对于 66 来说,具有这个特点的最大的数就是 64,因为 $64 = 2 \times 2 \times 2 \times 2 \times 2 \times 2$。"

"猜对啦!"孙悟空现身。

孙悟空又出一个问题,他先画了一个 3×3 的格子:"我拔下 13 根猴毛,加上我变出 14 个形态各异的小猴,按规律排,我本来应该站在方格的右下角,但我偏站在左边的一排 6 个小猴当中,你能把我找出来吗?"

说完孙悟空拔下一撮猴毛,往空中一抛,喊了一声:"变!"立刻变出了 13 个小猴,孙悟空一转身,变成了第 14 个小猴和其他小猴混在了一起(图 6)。

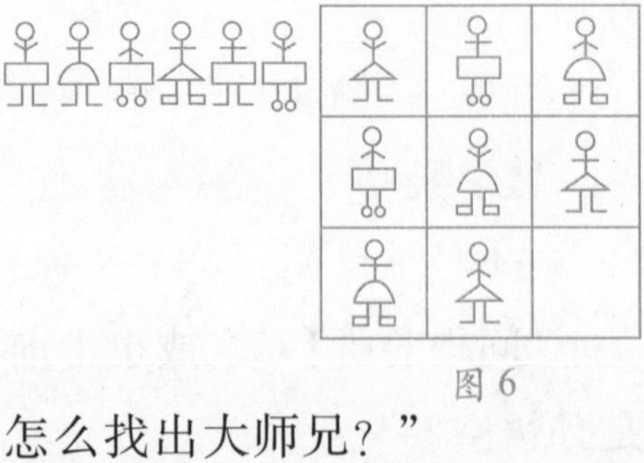

图 6

八戒为难地说:"这么多小猴,都长得差不多,怎么找出大师兄?"

数学猴却不以为然："要细心观察才能发现差异。你看！这些小猴手臂有向上、水平、向下三种；裙子有三角形、矩形、半圆形三种；脚有圆脚、方脚、平脚三种。"

"对！"

"你再看，方格中的8个小猴全都不一样，但是是有规律的。从左边6个小猴中找出哪个小猴，放到空格中能符合它们的规律？"

八戒看了一会儿："我看出规律啦！方格中每一行，每一列的3只小猴的手臂、腰、脚都不一样！"

数学猴一竖大拇指："八戒，真棒！你看把哪只小猴放到那儿合适呢？"

"从横向看，有手臂平伸的，有手臂向下的，有穿半圆形裙子的，有穿三角形裙子的，有方形脚，有平脚，就缺一个手臂向上穿矩形裙子长着圆脚的小猴。纵向看也是如此。我就认出来了，你就是孙悟空！"八戒走到6号小猴面前，把他揪了出来。

6号小猴一抹脸："八戒真长本事啦！我就是孙悟空！"

解救八戒

JIEJIUBAJIE

八戒一摸肚子："我饿了，去弄点吃的！"八戒扛着钉耙扬长而去。

数学猴叮嘱："八戒，路上小心妖精！"

过了好半天，仍不见猪八戒的影，悟空有点不放心："八戒该回来了！"

忽然，空中飘飘悠悠落下一张纸条来。

"看，飘下一张纸条。"数学猴拾起纸条，只见纸条上写着：

"找八戒，往正东走（5★6）★7千米。其中对于任何两个数 a、b，规定 $a★b$ 表示 $3\times a+2\times b$。限10分钟找到，否则就请你们吃猪肉馅饺子了！"

孙悟空大怒："何方妖孽，敢用我师弟的肉包饺子吃？我要把他们打个稀巴烂！可是——我到哪里去找他们哪？"

数学猴指着纸条说："纸条

上都写着呢！只要算出来，就知道了。”

“这些带五角星的算式，如何算法？”

“这里的五角星只不过代表着一种特殊的算法。”

“五角星怎么能代表一种算法呢？”

“我给你算一下，你就明白了。”数学猴开始算，“按着规定 $5★6=3\times5+2\times6=15+12=27$。”

“原来是这么回事。”

数学猴说：“明白了意思，就可以把结果算出来了：

$(5★6)★7=3\times27+2\times7=95$。”

悟空拉着数学猴向正东方向跑去：“数学猴，快和我向东跑 95 千米，解救八戒去！”

“到这里正好是向东 95 千米。”数学猴停住了脚步。

悟空问：“为什么不见八戒的踪影？”

悟空看到一只野狗：“那有一只野狗，狗的鼻子特别尖，待我也变成野狗问问他。变！”

悟空变成一只黑色的野狗，跑过去问：“老兄，你闻到猪的气味吗？”

野狗点点头：“当然闻到了！从那个小洞里飘出来猪的臭味和黄鼠狼的臊味！”

黑狗跑到数学猴面前说：“八戒是让黄鼠狼精给捉到洞里了，我进洞看看。你在外面如此这般……”

“好！”

悟空立刻变成一只小蜥蜴，钻进了小洞里。

孙悟空进洞后，看见黄鼠狼精把猪八戒捆在柱子上，他正在磨刀，“噌！噌！”

八戒对黄鼠狼精说：“你别做美梦想吃我的肉，等一会儿，我猴哥来了，一棒子就把你砸个稀巴烂！”

黄鼠狼冷笑：“嘿嘿，孙悟空是个数学盲，他算不出我在哪儿！”

八戒不服：“我还有个小猴哥数学猴哪！那数学就别提多棒了！”

黄鼠狼不以为然：“你别吓唬我，一只小猴子能有我黄大仙聪明？”

“你的两个猴哥都不来救你，我可饿极了。我先把你切成小块，然后再剁成肉馅！慢慢吃。”黄鼠狼精要动手了。

悟空现形：“八戒别慌，我孙悟空来了！”

八戒见到了救星：“猴哥快来救我！”

黄鼠狼大吃一惊：“啊，孙悟空真来了！让你尝尝我的最新式武器！”黄鼠狼冲悟空放了一个屁“噗——”

八戒大叫一声：“哇——臭死啦！”

黄鼠狼趁机从小洞钻出，正好被等候在此的数学猴按住了脖子：“黄鼠狼，你往哪里逃？”

黄鼠狼绝望了：“呀！数学猴等在这儿！完了！”

魔王的宴会

悟空救出了八戒，两人正往前走着，突然刮来一股狂风"呜——"，风中带有许多碎石。

八戒倒吸一口凉气："呀！飞沙走石，怎么回事？"

"呼啦啦！"许多山羊、野兔、牛顺着风狂奔而来。

八戒忙问："你们跑什么？出什么事啦？"

一只山羊告诉八戒："熊魔王要宴请虎魔王、狼魔王、豹魔王……一大堆魔王。我们都要被这些魔王吃了！你长得这么肥，还不快逃！"

悟空问一头奔跑的老牛："老牛，你知道熊魔王要宴请多少魔王？"

老牛往回头一指："洞口贴着告示哪！你自己去看吧！"

悟空说："咱俩看看告示去。"

悟空和八戒来到洞口，见洞口贴有告示。

八戒手搭凉棚，看着告示："果然贴有告示。"

悟空一边看，一边摇头："这上面写的是什么呀？我怎么看不懂啊！"

只见告示上写着：

“山里的所有动物：

我熊魔王要请各方魔王来赴宴，当然，你们都是做菜的原料。我们要吃谁，谁就赶紧来。我们吃饱、吃好为止。这次我请来的魔王数，就在下面的算式中，其中不同的字代表不同的数：

魔魔×王王＝好好吃吃”

“猴哥，咱们不能眼看着这些动物被害！咱们得救救他们。”

“可是不知道来了多少魔王，这仗怎么打呀？”

悟空急得抓耳挠腮：“我空有一身本领，就是不会数学！呀、呀……这可怎么办？”

“没别的主意，还得找小猴哥！小——猴——哥——”

“唉——”数学猴从山上跳下，“我数学猴来了！”

悟空笑了：“哈哈，你来得比我还快！”

八戒迎上去，拉着数学猴的手：“小猴哥，帮助解出这道题。”

数学猴说：“这种横式不好看，我来把它变成竖式：

$$\begin{array}{r} 魔\ 魔 \\ \times \quad 王\ 王 \\ \hline a\ b\ c \\ a\ b\ c\ \ \\ \hline 好\ 好\ 吃\ 吃 \end{array}$$

”

悟空挠挠头："怎么弄出外文来了？越弄越复杂！"

数学猴解释："引进字母的目的，是为了让运算更加简单。显然 c = 吃，在十位上由于 $b + c$ = 吃，可以知道 $b = 0$。"

悟空点点头："有道理，你接着说。"

"$b = 0$。根据魔魔×王 = $abc = a0c$，一定是魔×王的乘积是个两位数，而且乘积的十位数和个位数之和是 10。"

悟空晃晃脑袋："我有点晕，你快往下算吧！"

"两个一位数乘积的数字和等于 10 的，只有 $4 \times 7 = 28$，而 $2 + 8 = 10$。"

"有这种事？"八戒不信，自己要试验："我试试！$2\times9 = 18$，$1 + 8 = 9$，不成；$3\times8 = 24$，$2 + 4 = 6$，也不成；$8\times9 = 72$，$7 + 2 = 9$，还是差点。嘿，真的只有 4 乘 7 才行。"

悟空有点着急："快告诉我，他要请多少魔王？"

“多则 74 个，少则 47 个。”

“宁多勿少。”悟空说，“我们就按 74 个准备。八戒你负责消灭 23 个，数学猴消灭 1 个，剩下的我全包了！”

八戒噘起大嘴：“嘿，不公平！我比小猴哥多那么多哪！”

“我一个人要消灭 50 个魔王哪！快杀进去吧！”悟空带头冲进洞里。

“杀——！”猪八戒和数学猴跟了进去。

洞里乱战！“杀——”“杀——”洞里杀得昏天黑地。

战斗结束了，数学猴清点被杀死的魔王：“熊魔王一共请来了 47 个魔王，加上他自己一共是 48 个。我杀死 2 个，悟空和八戒各打死 23 个！”

八戒一拍脑袋：“哇！我和孙猴子打死的魔王一样多！我又亏了！”

捉拿羚羊怪

ZHUONALINGYANGGUAI

悟空、数学猴和八戒边走边聊天。

悟空深有感触地说："我要拜数学猴为师学习数学。"

八戒也说："我也学！"

数学猴谦虚地说："咱们互相学习。"

突然，一阵狂风刮来，遮天蔽日，伸手不见五指。

悟空警告："一股妖风！要多加注意！"

八戒捂着眼睛说："我什么也看不见了！"

狂风过后，发现数学猴不见了。

八戒着急了："猴哥，数学猴不见了！"

"他是被妖孽抓去了！"

八戒不明白："妖精抓他干什么？吃？他身上连点肉都没有！要吃就抓我吃呀！"

"还是把土地神唤来问问，土地！"

土地神从地下钻出："大圣唤小神有何吩咐？"

"刚才一股妖风，为何怪所施？"

"回禀大圣，此乃羚羊怪所施的妖法。"

悟空说："他抓走了我的人，带我去找羚羊怪！"

土地神带悟空和八戒来到一个山洞前，山洞的大门紧闭，门上画有一个图形(图 7)。

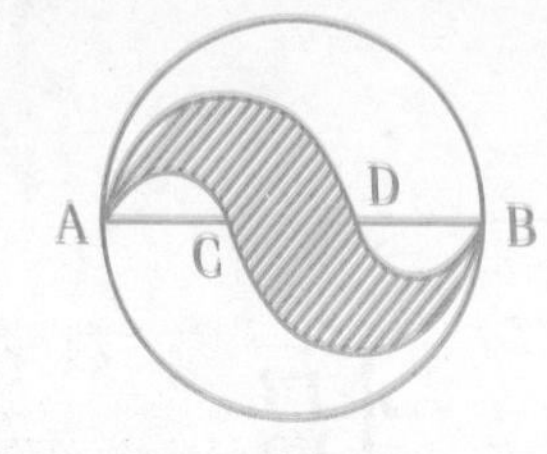

图 7

土地神："羚羊怪就住在这个山洞里。"

悟空："此图很像太极图，如何打开洞门？"

土地神："你看画阴影的部分，它是对接在一起的一对羚羊角，谁能算出这个阴影部分占圆面积的多少？门就自己打开。"

八戒瘫坐在地上："完了！原来可以找小猴哥来帮忙计算，现在谁给算？"

"数学猴不在，咱们就自己算！"悟空先画了一个图(图 8)。

图 8

悟空指着自己画的图说："算半个圆就成了。这是由三个半圆组成，我量了一下 AC 是 AD 的一半，AD 是中圆的直径。AB = 30 厘米，而 AD = 20 厘米。我发现 AC = CD = BD = 10 厘米。可是我不知道圆面积如何求。"

八戒一撇嘴："不知道如何求，还是不会算哪！"

"待我化成小飞虫，飞进洞里，问问数学猴，变！"悟

空化做小飞虫,从洞门缝钻进洞里。

八戒十分羡慕:“我就没有这种化小飞虫的本事。”

洞里羚羊怪正和数学猴谈话。

羚羊怪阴阳怪气地说:“听说你的数学特别好,你要是教会我数学,我的本事可就比孙悟空还大了!”

数学猴态度十分坚决:“你学会数学是为了对付孙悟空,我不教!”

羚羊怪用他的巨大的角,死死顶住数学猴的前胸:“如果你不教我数学,我就用角顶死你!”

“你学数学的目的不纯,顶死我也不教!”

悟空变成的小飞虫,飞到了数学猴的耳朵上,悄悄地说:“数学猴不要害怕,我是孙悟空,你快告诉我,圆面积如何求?”

数学猴也小声说:“可以用公式,如果圆的半径是 R,圆面积公式是 $S=\pi R^2$。”

“数学猴,我这就回来救你!”小飞虫飞出洞外。

数学猴叮嘱:“快点!”

羚羊怪十分奇怪，他问：“你在和谁说话哪？”

数学猴把头一扬：“我在自言自语呢！”

悟空飞到洞外现出原身，和八戒会合。

“我会求了！一只羚羊角形的阴影部分 = 以 AD 为直径的半圆 − 以AC为直径的半圆 = $\frac{1}{2}(\pi 10^2 - \pi 5^2) = \frac{\pi}{2}(10 \times 10 - 5 \times 5) = \frac{\pi}{2}(100 - 25) = \frac{75\pi}{2}$。”

八戒接着说：“两只对接的羚羊角形的阴影部分面积就是 75π了。”

八戒刚说完，山洞的大门就自动打开了：“乖乖，我刚说完，门就自动打开了！”

悟空一挥手：“快进洞救数学猴！”

悟空和八戒齐战羚羊怪，“打！”“杀！”一阵激烈的战斗。

悟空终于抓住了羚羊怪：“我打死你这个羚羊怪！”举棒就要打。

数学猴在一旁求情：“慢！羚羊怪就是想学数学，没有害人之意，饶了他吧！”

重回花果山

CHONGHUIHUAGUOSHAN

悟空突发灵感:“现时妖孽横行,我要回老家花果山去看看。看看我的猴子猴孙是否平安?”

听说去花果山,八戒和数学猴争先恐后地说:“我也去!”“我也去!”

孙悟空一挥手:“咱们都去!”孙悟空带着师弟八戒、数学猴一起回到了老家花果山水帘洞。

来到花果山,只见山上花草全无,林木焦枯,山峰岩石倒塌,悟空见此情景不禁倒吸了一口凉气,这是怎么啦?

花果山的猴子听说孙大圣回来了,倾巢而出,都来迎接。各种鲜果美酒摆了上来。

回到家，悟空感慨万千："我有一段时间没回家了，你们可好啊？"

众猴你看看我，我看看你，一片沉默……

孙悟空两目圆瞪："怎么，出事啦？是谁敢来欺负你们？"

众猴齐声回答："是群狼！"

孙悟空想了一下说："我一定要找他们算账！除此之外，你们也要练一些防敌的办法。下面我来操练你们，老猴们听令！"

下面站出一群老猴："得令！"

八戒数了一下："1，2，3……一共有 49 个老猴。"

孙悟空听罢大吃一惊："想我当年离开花果山时，共有 47000 只猴子，现在就剩这么几个老猴了？"想到这里悟空差点落泪。

悟空命令："49 个正好能排成一个 7 × 7 的方阵。给我排出方阵来！" 老猴们立即排成了一个每边有 7 个老猴的方阵。

数学猴点点头："还是老猴的觉悟高！"

操练开始，老猴们按照孙悟空的口令，做着各种动作。

悟空喊："一、二，杀！""一、二，挠！""一、二，咬！"

"停！"突然，孙悟空下令停止操练。

八戒问："练得好好的，怎么停了？"

孙悟空往下一指说："那一排的两个老猴，实在太老了，动作已经跟不上口令。"

八戒说："那还不容易，把那两个老猴撤下来就是了。"

孙悟空摇摇头说："不成！撤下两个就构不成一个 7×7 的方阵了。"

八戒又建议："干脆，把那两个老猴所在的那一排都撤下来算了！"

孙悟空又摇摇头："不成！撤下一排就不是方阵了，成了长方形阵了。而我操练的是方阵。"

"那你说怎么办？还是问数学猴吧！"

数学猴说："我说同时撤下一行和一列，变成 6×6 方阵。"

八戒不等数学猴说完，就发号施令："撤下一行是 7 个老猴，撤下一列又是 7 个老猴，听我的口令！一共撤下 14 个老猴……"还没等八戒把话说完，数学猴跑上去捂住了八戒的嘴。

八戒问："怎么啦？"

"你说得不对！撤下的不是 14 个，应该 13 个老猴。"

"怎么不对？"

图 9

数学猴画了一张图（图 9）："因为有一个老猴数行的时候数过他一次，数列的时候又数了他一次，这只老猴数重了。"

突然，孙悟空抽出一面令旗，在空中一摇，高声叫道："所有的青壮年的猴子给我排成一个方阵！"

"是！"青壮年的猴子也排成一个方阵。

在孙悟空的号令下，青壮年的猴子认真地做着动作。

孙悟空突然往下一指说："那一排上的两个猴子太胖，像两头笨猪！"

八戒听了噘起了大嘴："猪就笨？猴就灵？"

突然，一只小猴跑来报告："报告孙爷爷，一群恶狼又来袭击我们！"

悟空就地来了一个空翻："来得正好！我和八戒带老猴方队，正门迎击。数学猴带青壮年猴子方队抄他们的后路！"

数学猴问："这青壮年猴子方队共有多少只猴子？"

悟空摇摇头："这个我不知道。我只知道同时撤下来一行和一列，共撤下来 27 只青壮年猴子。"

数学猴只好计算："由于去掉的总猴数 = 原每行猴数 × 2 − 1，所以原每行猴数 =（去掉的一行一列猴数 + 1）÷

2 =(27 + 1)÷ 2 = 14 只,

方阵总数 = 14 × 14 = 196 只。”

青壮年的猴子看到狼群分外眼红，个个奋勇杀敌：“杀！挠！咬！”

孙悟空一马当先杀了出来:“恶狼拿命来！”

群狼见孙悟空来了，惊恐万状，立刻跪在地上投降：“我的妈呀！孙大圣回来了,我们投降！”

悟空往下一指：“你们给我滚出花果山一千千米，永世不得回来！”

“是！”群狼夹着尾巴狼狈逃窜。

智斗神犬
ZHIDOUSHENQUAN

群猴刚要庆祝胜利，突然，一名小猴急匆匆来报："报告孙爷爷，大事不好！群狼在一只瘦狗的带领下又杀回来了！还抓了我们7只猴子兄弟。"

悟空大惊："啊！竟有这事？"

放眼望去，只见二郎神的神犬带着群狼杀了回来，神犬很瘦，在群狼中显得很弱小。

悟空冷冷地说："我当是谁哪？原来是二郎神的神犬。"

神犬"汪、汪"叫了两声："大圣好久未见，近来可好？"

"听说你还抓了我的7只小猴，我和恶狼的事，你管得着吗？"

"不错，我是抓了7只小猴子。狼和狗是同宗，狼的事我不能不管哪！"

神犬一声令下："把7只小猴子带上来！"7只小猴被带上来，每只小猴的脖子上都套一个大铁环，铁环之间互相环在一起（图10）。

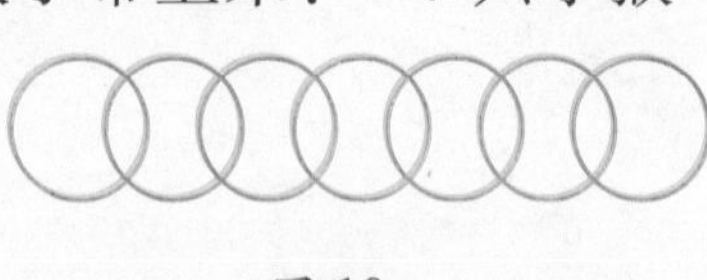

图10

数学猴生气地说：“都套在一起了，也太残酷了！”

悟空大怒：“瘦狗！你想干什么？”

神犬指着孙悟空叫道：“你孙猴子一定想要救出这些小猴子，咱们来较量7个回合，怎么样？”

悟空问：“如果我胜你一个回合哪？”

神犬答：“我就放一只小猴子。如果你败了一个回合，我就咬死一只小猴子！”

神犬一声狂叫，恶狼阵中窜出了一只恶狼，而这边出战的是八戒。

恶狼凶狠地说：“我想吃肥猪肉！嗷——”

八戒咬着牙根：“我想穿狼皮袄！杀！”

两个没战几个回合，八戒一耙打在狼的肚子上：“吃我一耙！”

狼惨叫一声：“哇——心、肝、肺全出来啦！”恶狼死了。

悟空说：“这一回合我们胜了，放过一只猴子！”

神犬摇摇头，说：“我是想放回一只，只是这7只猴子全环在一起了。你们过来一个人，只许剪断一个圆环，以后就不许再剪了。”

悟空大怒：“只许剪断一个圆环，最多只能放一只猴子！剩下的6只猴子怎么办？你是成心不想放哪！”

见悟空发火，数学猴在一旁劝阻：“大圣莫发火，让我去完成这个任务，请给我变出一把大钳子来。”

悟空一伸手就变出一把大钳子，递给数学猴。

悟空十分怀疑：“你能只剪断一个圆环，就可以每次放回一只猴子？神啦！”

“请大圣放心。”数学猴走到7只猴子面前，从左数：“1，2，3，好！就剪断这第3个圆环！”用钳子剪断套在第3只猴子脖子上的圆环。

数学猴领走这只猴子，还剩下两只连在一起的，4只连在一起的（图11）。

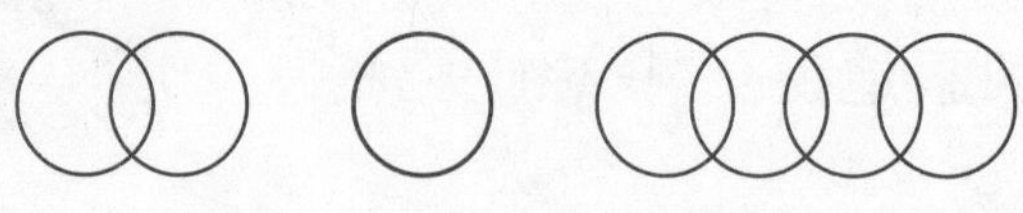

图11

剩下的猴子哀求：“数学猴，可别把我们忘了！快来救我们！”

神犬又叫一声，3只恶狼同时窜出：“第二个回合看我们的！”

悟空迎战：“来得好！”

悟空只是用金箍棒朝3只恶狼一捅，就把3只狼穿在了一起：“这次来个穿糖葫芦吧！嘻嘻！”

3只狼同时叫道：“哇——”立即死去。

神犬倒吸了一口凉气：“大圣果然厉害！你们再来领一只猴子吧！”

数学猴领着刚刚带回来的猴子，向对方走去："我拿这只刚领回的猴子，去换那两只连在一起的猴子，2 － 1 = 1，这次我领回的还是一只。"

八戒拍掌称妙："拿一只单个的，换回两个连在一起的，妙！妙！"

神犬这时忽然明白了："呀！我明白啦！下次你还是要走那一只猴子，然后再用这 3 只猴子换回那 4 个连在一起的猴子！就这样，7 只猴子你先后都领走了。"

八戒又拍手，又跳高："妙！妙极了！"

"我咬死你这个数学猴！汪！汪！"神犬直奔数学猴冲去。

悟空说："别咬数学猴，有本事你冲我来！"悟空迎了上去。

神犬和悟空战在了一起。

神犬狂叫："汪！汪！"

悟空高叫："嘿！嘿！"

"吃我一棒！"神犬后腿挨了孙悟空一棒。

"呀！疼死我了！我找二郎神去！"神犬一瘸一拐地逃跑了。

千变万化

QIANBIANWANHUA

二郎神手执三尖两刃枪，带着受伤的神犬赶来报仇。只见二郎神仪表堂堂，两耳垂肩，二目闪光，腰挎弹弓。

神犬往前一指："就是那个孙猴子，打伤了我的腿！"

二郎神满脸怒气："大胆的泼猴，竟敢打伤我的爱犬！"

数学猴问："这个神仙是谁？"

悟空给数学猴解释："连他你都不认识？他就是劈山救母中的二郎神呀！此人非常善于变化。"

二郎神举起三尖两刃枪向悟空刺来："泼猴吃我一枪！"

悟空冲二郎神做了个鬼脸："也不说几句客气话，上来就打！那，我就不客气了。"

二郎神和悟空"乒！乒！""乓！乓！"打在了一起，从地面一直打到了空中。

"咱俩还是斗斗变化吧！"突然二郎神化作一股清风走了。

悟空收住手中的金箍棒:“正打得来劲,怎么跑了?”

悟空一回头,发现了两个一模一样的数学猴。

“嘿!两个一模一样的数学猴。”

八戒说:“这里面一定有一个是二郎神变的!”

悟空和八戒小声商量:“八戒,你看这怎么办?”

八戒想了一下说:“我有办法了。数学猴数学特好,二郎神是个数学白痴。可以出一道数学题考考他俩。”说完八戒在地上画了两个图,每个图有3个圈(图12)。

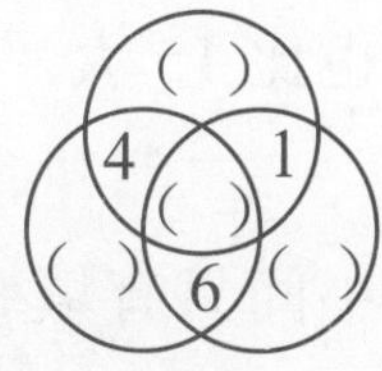

图 12

八戒对两个数学猴说:“真假数学猴听着!你们各自在图中的括号中填上2,3,5,7四个数,使每个圈内的4个数的和都等于15。听懂了没有?”

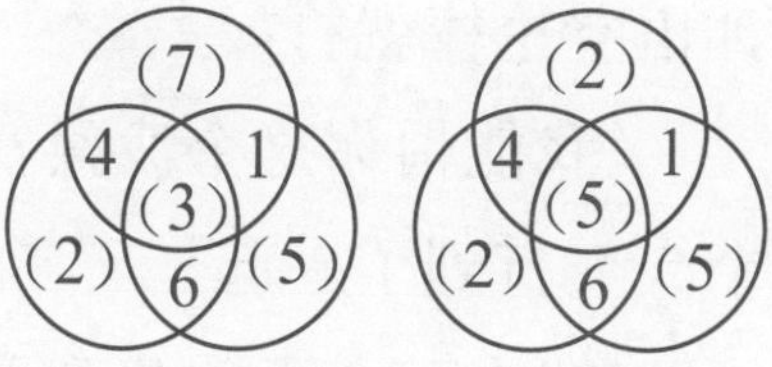

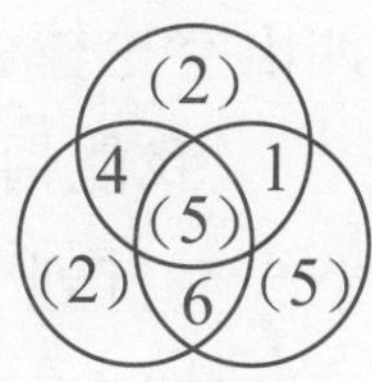

图 13

“是!”不一会儿,两个数学猴都填完了(图13)。

八戒认真看了看两个图,说:“左边这个填对了,右边填错了!右边那个数学猴是假的,是二郎神变的!”

悟空举起金箍棒朝右边的数学猴打下:“二郎神!吃我一棒!”

“不好!被老猪识破了。”二郎神现形逃走。

二郎神在空中冲数学猴一抱拳："小神想请教数学猴兄，你那 4 个数是怎样填的？"

八戒在一旁笑了："嘿嘿，没想到，二郎神挺喜欢学数学！"

数学猴给二郎神讲解："关键是填正中间的那个数。填 2 不成，因为最上面那个圈，即使再填上最大的数 7，$7+4+2+1=14$，不够 15。填 7 也不成，因为最右边的那个圈，即使你填上最小的数 2，$6+7+1+2=16$，也比 15 大。"

二郎神聪明过人，一说就明白了："噢，我明白了，正中间只有填 3 最合适，数学，妙！真妙！"

"二郎神，你别'喵，喵'的学猫叫了，你吃我一棒吧！"孙悟空抡棒就打。

"我能怕你这个泼猴？看枪！"二郎神挺枪就扎，两个人又打到了一起。

"我老孙今天才找到了对手了！过瘾！"孙悟空的金箍棒一棒紧接一棒地向二郎神砸来。

二郎神看孙悟空来精神了，也不恋战，又化作一阵清风走了。

悟空手搭凉棚四处寻找："这小子又跑到哪儿去了？"

数学猴叫悟空："大圣，这儿有两个一模一样的猪八戒！"

悟空眼珠一转："咱们照方抓药，你再出道题考考他俩。"

数学猴在地上画了四个猪头，列出一个算式：

猪×猪－猪÷猪＝80

数学猴对两个猪八戒说：“式子里的4只猪的重量都相等，算出一只猪的重量。”

左边的八戒说：“一只猪9千克。由于同样重量的两头猪相除得1，所以有

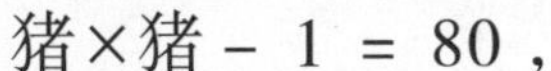

猪×猪－1＝80，

猪×猪＝81，

猪＝9。”

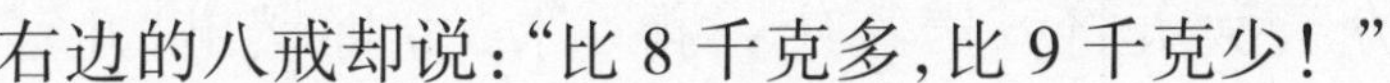

右边的八戒却说：“比8千克多，比9千克少！”

“二郎神，我看这次你往哪儿跑！”悟空举棒朝右边的八戒打去。

右边八戒求饶：“大师兄饶命，我可是真正的八戒呀！”猪八戒立即现身。

二郎神在一旁嘲笑八戒：“猪脑子就是不成！”

数学猴问猪八戒：“你怎么算错了呢？”

八戒沮丧地说：“把等号左边的－1移到右边，应该变成＋1，我没变！”

悟空叹了一口气：“嗨！看来八戒还是不如二郎神聪明！”

二郎神把嘴一撇：“废话！怎么拿我和笨猪比呢？”

再斗阵法

ZAIDOUZHENFA

二郎神挥舞手中三尖两刃枪，口中念念有词，不一会儿，召来许多天兵天将。

二郎神对众天兵天将说："下面我和你孙猴子斗斗阵法。天兵天将听令！给我摆出'九宫阵'！"

众天兵天将齐声答应："得令！"立即摆出"九宫阵"（图 14）。

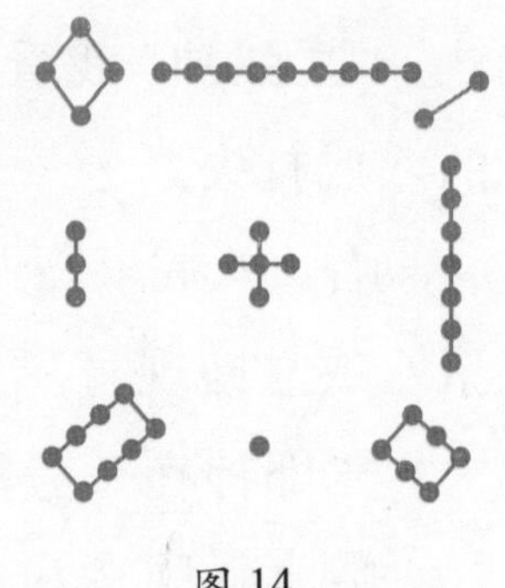

图 14

二郎神一指孙悟空："泼猴，你敢来攻攻我的'九宫阵'吗？"

"我要把你的什么'九宫阵'，杀个七零八落！"悟空提起金箍棒，直奔"九宫阵"杀去。

二郎神冷笑："七零八落？嘿嘿，我看你是有来无回！"

悟空在阵前停下，和二郎神讲攻阵的规矩："你可要遵守攻守阵的规矩，我攻哪一行，哪一行的士兵才能和我交手！"

二郎神点头："放心吧！规矩我懂。"

悟空开始进攻竖着的最中间的一列(图 15):“我来个‘黑虎掏心’! 攻击你的中路!”

最中间的一列的 15 名天兵天将，举刀迎战:“杀!” 这 15 名天兵天将把悟空围在当中。

4	9	2
3	5	7
8	1	6

图 15

“呀! 15 名天兵天将把我围了个水泄不通,看来‘黑虎掏心’不对!”悟空跳出圈外,“九宫阵”又恢复原样。

悟空:“这么打不成! 15 个人太多,我要找一个人少一点的行来攻击!”

“我这次给他来个‘拦腰截断’! 横着冲它一下。”这次悟空进攻横着的最中间的一行(图 16),这一行的天兵天将,举刀迎战:“杀!”

4	9	2
3	5	7
8	1	6

图 16

15 名士兵又把悟空围在了中间。

悟空感到奇怪:“1,2,3,4…… 15,怪了? 怎么这一行又是 15 个人?”

“我就不信这个邪! 我斜着再冲他一次。”悟空又要斜着冲击“九宫阵”。

数学猴拦阻:“大圣留步! 不要再冲了。”

悟空问:“为什么不让我冲了?”

“二郎神的‘九宫阵’,数学上叫做‘三阶幻方’,它是由 1 ~ 9 这九个自然数组成的 3 × 3 的方阵。”说完数学猴画了个图(图 16)。

数学猴介绍说:“这个方阵的特点是不管你是横着加,是竖着加,还是沿对角线斜着加,其和都是 15 。”

悟空摇摇头:“乖乖,我说怎么冲,都是被 15 名天兵天将把我围住!”

二郎神“哈哈”大笑:“孙猴子,你领教了我的‘九宫阵’的厉害了吧!该你布阵了。”听说布阵,悟空有点傻。

悟空小声对数学猴说:“这排兵布阵我不灵啊!”

“大圣不要着急,看我的吧!45 名猴兵出来布阵!”数学猴拿起令旗指挥布阵。

众猴答应一声:“得令!”

小猴们排出一个“三阶反幻方”(图 17)。

9	8	7
2	1	6
3	4	5

图 17

数学猴说:“请二郎神攻阵!”

二郎神斜眼看着数学猴:“一个小猴子会布什么阵?神犬,跟我往里冲!冲它的第一行!”

二郎神和神犬被 24 只猴兵围在中间。

二郎神吃了一惊:“这……这不对呀!应该每排是 15 个哪?怎么出了 24 个小猴子?”

神犬出主意:“撤出去,再攻另一行!”

二郎神和神犬攻击第三行，结果又被 12 只猴兵围在了中间。

二郎神不解地问：“这第三行怎么变成了 12 只猴了呢？不应该是 15 只吗？”

神犬把整个阵数了数：“主子，我数过了，数学猴布的这个阵，不管你是横着加，是竖着加，还是沿对角线斜着加，其和都不一样！”

二郎神跳出圈外，指问数学猴：“你布的这叫什么阵？本神从来没见过？”

八戒说：“你个小二郎神见过什么？我小师兄的数学别提有多棒了，够博导的水平！”

数学猴解释说：“你刚才布的是‘三阶幻方’，其特点是每行、每列、两条对角线上的三个数之和都相等；我布的叫做‘三阶反幻方’，它的特点是每行、每列、两条对角线上的三个数之和都不相等。”

二郎神感叹地说：“有正还有反，小神领教了！小神修炼千年，不如一只数学猴，惭愧！惭愧！小神甘拜下风，回去好好学习数学，来日再斗！”说完化作一阵清风飘去。

八戒乐了：“嘿嘿，二郎神让小师兄给震住了！”

数学秘诀

SHUXUEMIJUE

斗败二郎神，八戒竖起大拇指，夸奖数学猴："小猴哥真厉害！把二郎神给治服啦！"

悟空问："数学猴，学数学有没有秘诀呀？"

"学数学没有秘诀，主要靠多用脑子。"

"不对吧？我看是有秘诀你不告诉我！"

数学猴和悟空、八戒告别："我还有事，我先走一步了。"

悟空笑着说："数学猴，你不告诉我数学秘诀，我要想办法从你嘴里掏出来！"

数学猴走在路上，突然，后面一条大蟒蛇追了上来："吱——吱——"

数学猴回头一看，大吃一惊："啊，一条大蟒蛇！快跑！"

蟒蛇猛地一窜，把数学猴缠住了。

数学猴大叫："来人哪！救命！"在荒郊旷野，没人来救。

"在这荒山野岭有谁会救我？我把你割成两段！"数学猴掏出刀子用力割蟒蛇的中部。

数学猴终于把蟒蛇割成了两段，自己也累得坐在了地

上:“我的妈呀！累死我了！看你还敢逞强！”

突然，蛇头大笑两声，开口讲话了，把数学猴吓了一跳:“哈哈！你把我割成了两部分，我的头部这段占全长的$\frac{3}{8}$，尾部比头部长 2.8 米，数学专家，你给我算算，我原来有多长？”

数学猴紧张地举起刀子:“怪了，死蟒蛇还会说话？”

蟒蛇头说:“你不要害怕，只要你算出我原来有多长，我就离开你。不然的话我就死死缠住你！”

“你说话可要算数啊！”数学猴没有办法，就开始计算:“既然你的头部占全身的$\frac{3}{8}$，尾部必然占$1-\frac{3}{8}=\frac{5}{8}$。尾部比头部长$\frac{5}{8}-\frac{3}{8}=\frac{2}{8}$，$\frac{2}{8}$就是$\frac{1}{4}$。这多出来的$\frac{1}{4}$是2.8 米，全长就是$2.8\div\frac{1}{4}=2.8\times4=11.2$米。”

蟒蛇头问:“这是什么算法？”

“这叫做‘已知部分求全体’。这种算法的特点是:只要知道了这一部分所占的比例，再知道这部分的具体数值，就可以把全体的数值求出来。”

“嘻嘻！你不是说学数学没有秘诀吗？你刚才说的不是秘诀又是什么？”

数学猴吃惊地说:“啊？你到底是蟒蛇还是孙悟空？”

蟒蛇把头部和尾部接起来，又成了一条

完整的蟒蛇，蟒蛇逃走了。

数学猴追了上去："你给我说清楚，你到底是谁？"

蟒蛇高兴地往前跑："我取得了一个数学秘诀，我走了。拜拜！"

蟒蛇回头看数学猴没追上来，在地上打了一个滚，又变成了孙悟空。

悟空笑了："嘻嘻！戏弄数学猴真好玩！我再变个花招。"

没有追上蟒蛇，数学猴继续赶路，前面树林里传出哭声："呜——呜——"

数学猴心里琢磨："蟒蛇会不会是孙悟空变的？咦？树林里怎么会有人哭？"

一只小熊拿着一条绳子正准备上吊，数学猴赶紧拦住。

数学猴问:“小熊,你为什么要自杀?”

小熊哭丧着脸说:“我们老师给我们留了一道数学题,我不会做,回家爸爸一定要狠打屁股!”

“为做一道数学题,也不至于自杀啊!”数学猴说,“你把那道题说一遍。”

小熊说:“把252分成三个数,使这三个数分别能被3、4、5整除,而且所得的商相同,求这三个数。”

数学猴说:“可以先求商。因为$(3+4+5)\times$商$=252$,所以商$=\frac{252}{3+4+5}=\frac{252}{12}=21$。有了这个共同的商,就可以把三个数求出来:$3\times21=63$,$4\times21=84$,$5\times21=105$。”

小熊问:“这是什么算法?”

“这叫做‘已知全体求部分’。这种算法的特点是:只要知道了全体的数值,又知道各部分所占的比例,就可以把各部分求出来。”

小熊变成了孙悟空:“我又学到一个数学秘诀,哈哈——”笑着跑了。数学猴在后面追。

“果然是孙悟空变的!大圣,你别走!”

合力灭巨蟒
HELIMIEJUMANG

数学猴继续往前走,发现又一条大蟒蛇跟在后面,数学猴以为又是孙悟空变的。

数学猴半开玩笑地说:“孙大圣,你又要什么花招?还是要数学秘诀?”

蟒蛇突然缠住了数学猴,张开血盆大口要吞下数学猴:“数学猴虽说瘦了点,吃进肚子里也能管个把小时。”

数学猴慌了:“你怎么真吃呀?救命!”

悟空变成一只蜜蜂,飞近数学猴的耳边,小声说:“数

学猴不要害怕，你照着它的左眼猛击一拳，我就把你替换出去！”

“好！”数学猴照着蟒蛇的左眼猛击一拳。

“啊！”蟒蛇大叫一声。

趁数学猴猛击蟒蛇的左眼之际，数学猴跳了出去，悟空变成数学猴钻到原来的位置。

狂怒的蟒蛇叫道：“还敢打我？我吞了你！”张开大嘴，一口把悟空变的数学猴吞了进去。

孙悟空高兴地说：“哈！进蟒蛇肚子里去玩会儿。”

“里面地方还挺大，待俺孙悟空练上一路棍！咳！咳！”悟空在蟒蛇肚子里耍了起来，把蟒蛇疼得直打滚。

“哎哟！疼死我了！孙大圣饶命！”

这时出来一条白蛇和一条黑蛇来救蟒蛇。

白蛇问：“蛇王，我们怎么帮你？”

蟒蛇指指自己的肚子：“孙悟空在我肚子里，你们帮不了我。”

孙悟空在蟒蛇的肚子里说话：“喝！你还是蛇王哪？想当头儿数学必然好，我来考你两道题吧！”

蟒蛇哀求：“只要大圣不在我肚子里练功，题目随便出。”

“听说你们蟒蛇最爱吃兔子了。现在有一群兔子和若干条蛇，这些蛇想平分这群兔子。如果每条蛇分 4 只兔子，则多出了两只兔子；如果每条蛇分 5 只兔子，则少了

4只兔子。你说说,有几只兔子,几条蛇?”

蟒蛇摇摇头:“我脑子笨,不会算,白蛇你脑子好使,你会算吗?”

白蛇也摇摇头:“这题太难,我不会算。”

悟空叫数学猴:“数学猴,出来给他们算算。”

“来喽!”数学猴从树上跳了下来。

数学猴说:“设有 x 条蛇,y 只兔子。由‘如果每条蛇分4只兔子,则多出了两只兔子’得

$$y = 4x + 2,$$

由‘如果每条蛇分5只兔子,则少了4只兔子’可得

$$y = 5x - 4。$$

由于 $y = y$,得 $4x + 2 = 5x - 4,$

$$x = 6,$$

而 $$y = 4 \times 6 + 2 = 26。$$

有6条蛇和26只兔子。”

悟空在蟒蛇的肚子里问:“嘿,听明白没有?我们的数学猴也不能白给你算哪!”

蟒蛇乖乖地答:“愿听大圣吩咐。”

悟空说:“把那条白蛇摔死!”

蟒蛇大吃一惊:“啊!把白蛇摔死?这怎么成?”

“不成,我就练棍！咳！咳！”悟空在肚子里又练起了棍。

“哎哟！疼死我啦！别练,别练！我摔,我摔！”蟒蛇用尾巴卷起白蛇,用力往地上摔：

“啪！”

白蛇惨叫：“哇！摔扁啦！”

“下一个该我了，快回家吧！”黑蛇准备迅速逃跑。

悟空又说：“我再出第二道题啦。你看,黑蛇正往家逃,从这里到他家有 100 米,他以每秒 0.8 米的速度逃走,每跑 10 米,要休息 5 秒。黑蛇需要多长时间才能到家？”

蟒蛇赶紧说：“还是请数学猴来算吧！”

数学猴说：“可以先不考虑休息。黑蛇以每秒 0.8 米的速度一口气逃回了家，跑了 100 米。需要的时间是 $100 \div 0.8 = 125$ 秒。黑蛇中间休息了 9 次,每次 5 秒,共 $5 \times 9 = 45$ 秒,所以总的时间是 $125 + 45 = 170$ 秒,要 2 分 50 秒。”

悟空在蟒蛇肚子里问：“怎样处理黑蛇，还用我教给你吗？”

“不用,不用。我全明白。黑蛇,你往哪里跑？”蟒蛇卷起黑蛇，“啪”的一声把他狠命摔下。

黑蛇说：“头真狠心！哇！”黑蛇死去。

悟空把蟒蛇的肚子捅了个大洞：“我从这儿出来吧！”他从洞中飞出。

数学猴拍手叫好。

蟒蛇大叫：“哇！我也没命啦！”

孙悟空搂着数学猴迎着朝阳走去，猪八戒跟在后面“啦啦啦”撒下一路歌声……

李毓佩数学故事系列

LI YU PEI SHU XUE GU SHI XI LIE

数学猴和沙和尚

河中的怪物

HEZHONGDEGUAIWU

数学猴还是在旅行,一日来到一条大河边。数学猴想过河,可是河中一条船也没有,只见河边立有一石碑,上写“流沙河”三个字。

数学猴自言自语:“这就是有名的流沙河,《西游记》中的沙和尚就住在这里。我怎么过河呢?”

话音未落,突然河中掀起滔天巨浪,“哗哗”,十分吓人。

“啊!这是怎么啦?”

只见沙和尚从巨浪中出现,沙和尚手执降魔杖,脖子上挂有由 16 个骷髅组成的念珠。

沙和尚问:“是谁在叫我沙和尚?”

数学猴解释:“我想过河,没有船,不知道怎么过?”

“这个好办。”沙和尚摘下脖子上的一串骷髅,“你看,这 16 个骷髅上分别写着从 1 到 16 的数字。”

数学猴皱着眉头:“哇,怕死人啦!”

“你只要把这 16 个骷髅按着‘幻方’排列，再拔一根你身上的猴毛放到正中间骷髅的上面，就能成为一个过河的工具，你还愁过不了河？”

数学猴惊奇地问：“你也知道‘幻方’？”

“当然知道，是我二师兄猪八戒教给我的。”沙和尚十分骄傲地说，“二师兄遇到了一个叫数学猴的小猴子，这个小猴子鬼机灵，数学特别好！”

数学猴又问：“这 16 个骷髅摆成什么幻方？”

“把 1 到 16 这 16 个数，排成 4 行 4 列的正方形，使得每一横行，每一竖行和两条对角线的 4 个数字之和都相等，就是 4 阶幻方。”看来沙和尚还真懂。

“噢，4 阶幻方啊！我会排。”数学猴用 16 个骷髅排出了“4 阶幻方”（图 1）。

16	3	2	13
5	10	11	8
9	6	7	12
4	15	14	1

图 1

“排出来啦！”数学猴又拔了一根猴毛，放在中间。

猴毛刚刚放好，突然，16 个骷髅不见了，出现了一张飞毯。

数学猴高兴极了：“哈，不是船是飞毯！”

数学猴和沙和尚坐上飞毯，向对岸飞去。

数学猴在飞毯上又蹦又跳：“好噢！飞过河啦！”

沙和尚警告：“不要喊，黑龙正在睡觉哪！”

“哗！”河中突然掀起黑色的巨浪，把飞毯掀翻，数学猴掉进河里。

数学猴高呼："沙和尚救命！"

从水中钻出一条黑龙，手执钢叉，一把抓住了数学猴。

黑龙恶狠狠地说："我晚上失眠，中午睡觉就怕人吵，我刚睡着，你就大声喊叫，搅了我的好梦，你该当何罪？"

数学猴解释说："我不是有意的，对不起！"

沙和尚跑了过来："黑龙，快把这个小猴子还给我！否则，我打烂你的龙头！"

黑龙把眼一瞪："反正也睡不着了，我和你大战三百回合！"

黑龙举叉就刺："看我的钢叉！"

沙和尚不敢怠慢，抡起降妖杖就砸："接我的降妖杖！"

沙和尚和黑龙打在了一起。

沙和尚和黑龙在空中翻飞格斗，“当！”“当！”把数学猴看傻了。

数学猴嘴里一个劲地喊：“酷！真酷！”

黑龙打累了，落到数学猴身边，对数学猴说：“看你小猴子长得挺聪明，我最相信算卦，你给我算一卦，看我能不能赢沙和尚？”

“行！”说着数学猴拿出两张卡片，拿在手中。

数学猴说：“这两张卡片一样，一面写着‘胜’，另一面写着‘败’。我扔下，如果出现‘胜’、‘胜’，你必胜；如果出现‘胜’、‘败’就打平；如果出现‘败’、‘败’，你必输无疑。”

“好，你扔吧！”

数学猴把两张卡片扔在地上，卡片在地上“滴溜溜”转了几圈倒了下来，出现了“败”、“败”两个字。

“啊，出现两个‘败’字，天绝我也！走啦！”黑龙大叫一声钻入水中。

沙和尚问数学猴：“小猴子，这是怎么回事？”

数学猴把卡片拾起来：“你看，卡片的两面都写着‘败’，黑龙能不跑吗？哈哈！”

路遇假八戒

LUYUJIABAJIE

一只野猪精在河边转，他有好几天没吃东西了：“这里穷山恶水，什么好吃的也没有，饿死我啦！”

野猪精看见数学猴和沙和尚上了岸：“嘿，一只小猴子！送上门的美餐！不过沙和尚不好惹，对，我变成猪八戒，把小猴子骗到手。”

“变！哈，猪八戒！”野猪精变成了猪八戒，但是耳朵比较短，扛的是7齿钉钯。

假猪八戒叫住沙和尚：“沙师弟，等等我！”

沙和尚感到奇怪：“咦？二师兄。你怎么跑到这儿来了？”

假猪八戒也不搭话，只是不断地闻数学猴：“我饿！找你要饭吃。真香，真香！”

数学猴觉得不对头，就说：“八戒，我给你出一道题，看看你饿晕了没有。”

假猪八戒说：“我要是答对了，我要吃谁，就得给谁！”

“行！”数学猴说，“饭店里有大小两种包子，我看见一个人递给售货员一张两元钱，售货员问他买大包子还

是小包子？接着又进来一个人，也递给售货员两元钱，售货员连问也不问，就递给他一个大包子。你说售货员为什么不问他呢？”

假猪八戒说：“那还用问吗？后来这个人一定是售货员的亲戚，售货员收了小包子钱，递给他一个大包子！对吧？”

“不对！”

沙和尚在一旁说：“二师兄心眼怎么变坏了？”

假猪八戒瞪着眼睛说：“谁像你那么傻！你不应该叫沙和尚，应该改名叫傻和尚！我说小猴子，你说我答得不对，你说是怎么回事？”

数学猴说：“大包子的价钱一定在1元5角钱以上，小包子的价钱在1元5角钱以下。”

“多新鲜哪！大包子肯定比小包子贵。”

“第二个人递给售货员的不会是一张两元的,也不会是两张一元的。比如是一张一元的和两张5角的，这时售货员就肯定知道你要买1元5角以上的包子，当然递给他一个大包子。”

“我哪里去找肉包子？我吃顿猴肉吧！”假猪八戒张嘴就咬数学猴。

数学猴高呼:“沙和尚,救命！”

沙和尚用降魔杖抵住假猪八戒:“二师兄怎么变得如此无理？”

数学猴说:“他不是真猪八戒,你看他的耳朵有多短,你看他扛的是7齿钉耙,而真猪八戒扛的是9齿钉耙。”

野猪精变回原来面目,左右手各拿一把鬼头刀,扑了上去:“既然被你们看穿了,我就把小猴子和你傻和尚一起吃了吧！”

“啊！是假货！”沙和尚叫道,“看杖！”

野猪精说:“吃我一刀！”

沙和尚和野猪精打在了一起。

“嗨！嗨！”沙和尚越战越勇,把个降妖杖舞得“呼呼”生风。

野猪精有点招架不住:“这个傻和尚,力大杖沉,再打下去我就完了。”

“三十六计，走为上。我走吧！”野猪精夹起数学猴就走。

数学猴问：“你要把我带到哪儿去？”

野猪精说：“回我的窝，2657 号山洞。”

数学猴心想：“回到他的洞，还有我的好？不是清蒸就是红烧！”

数学猴大叫：“我要大便！”

野猪精放下数学猴：“嗨！真麻烦！快点！沙和尚追上来了。”

数学猴趁大便机会在地上画了一张图（图 2）。

野猪精催促：“还有时间瞎画，快走！”

图 2

山中的女子

SHANZHONGDENVZI

沙和尚拿着降魔杖追了上来，看到地上的画："咦？怎么野猪精和小猴子都不见了？这地上的画是什么意思？"

沙和尚琢磨："这 4 个图形都是左右对称的。这些图形被 2 除是什么意思？应该是只要一半。要右边的一半就是 2，6，5，7，连起来是一个四位数 2657。最后一个圆圈应该是一个洞。"

沙和尚恍然大悟："明白了，野猪精是把小猴子带到了 2657 号洞了。我赶紧去救！"

在洞中，野猪精正用铁锅烧水，边烧边唱："今天吃白煮猴肉，这可是一道名菜啊！吃猴肉有神通，越吃越聪明！啦——啦——啦——"数学猴捆在一旁等着下锅。

沙和尚飞进洞中，一杖打穿铁锅："野猪精哪里逃！"

开水溅了野猪精一身："呀！烫死我啦！"

野猪精非常奇怪："傻和尚，你怎么这么快就找到我了？"

"小猴子给我留下了秘密联系图。"沙和尚举杖就砸，

“看杖！”

野猪精自知不敌：“哇！你们可以吃白煮猪肉啦！”沙和尚一杖打死野猪精。

数学猴也饿得没劲了：“饿死我了！”

沙和尚感到为难：“在这深山老林里，到哪儿去弄吃的？”这时一位年轻女子提着一个青砂罐走来。

数学猴忙问：“这位大姐，青砂罐里装的是什么？”

女子柔声地说：“是刚出锅的素馅包子，是用香油拌的馅。”

数学猴一听有包子，立刻来了精神：“啊，素馅包子！有多少个？”

女子说：“我把这罐里的所有包子的一半再加半个，给这位和尚；把剩下的一半再加半个给你；把剩下的一半再加半个给和尚；把最后剩下的一半再加半个恰好是1个包子给你，包子也分完了。注意，每次分的包子都是整个的，不许掰开。”

沙和尚捂着脑袋：“我的妈呀！把我给分晕了。”

“有包子吃，我不晕！这类问题应该倒着推。”数学猴说，“由于把最后的一个包子给了我，包子恰好分完。沙和尚第二次分得的是我的两倍，是2个包子。我第一次分得的是沙和尚的两倍，应该是4个，而沙和尚第一次分得的是我的两倍，分到8个。总数是1 + 2 + 4 + 8 = 15

个。”

“对吗？我来算算。”沙和尚有点不放心，“15 的一半是 7.5，7.5 + 0.5 = 8，第一次分我 8 个没错！还剩下 7 个；7 个的一半是 3.5 个，再加上 0.5 等于 4 个也对，还剩下 3 个；3 的一半是 1.5，加上 0.5 等于 2，也对，还剩下 1 个；1 个的一半是 0.5，再加上 0.5 正好是 1 个。对！”

数学猴伸手要拿包子:“我可要拿包子啦!”

沙和尚急忙拦阻:“慢!在这荒无人烟的大山里,哪来的年轻女子?”

数学猴问:“你说她是什么人?”

“据我的经验,她八成是妖精!你绕到她身后看看。”

女子生气地说:“你这个出家人,怎么能胡说八道?诬蔑好人!”

数学猴绕到女子的身后,看见有一条狼尾巴:“哇!一条狼尾巴!”

“我打死你这个狼精!”沙和尚举起降魔杖,向狼精打去。

“呀!我的戏法变漏了。我不和你傻和尚斗,我走了!”狼精化作一股旋风,“呜——”的一声逃走了。

数学猴直奔青砂罐走去:“哈,盛包子的罐子,它没拿走。有包子吃啦!”

沙和尚忙说:“慢动!”

数学猴已经打开了盖子,几只癞蛤蟆从罐里跳出来“呱——呱——”

“哇!不是包子,是癞蛤蟆!哼——”连饿带吓数学猴晕倒在地。

沙和尚扶起数学猴:“小猴子,你怎么啦?”

大战黄袍怪

DAZHANHUANGPAOGUAI

沙和尚叫了半天，也没把数学猴叫醒："看来数学猴是饿晕了，我要背他找一处人家，弄点吃的。"沙和尚背起数学猴就走。

来到一个山洞，沙和尚把数学猴放到地上，抬头一看，看见洞门上面写着"波月洞"三个大字，大门紧闭。

沙和尚一皱眉头："波月洞？这不是黄袍老怪住的地方吗？怎么进去？"

门前贴有一张纸条，纸条上写着：

"这里面装着5张卡片，你取出4张卡片，排成一个四位数，把其中只能被3整除的挑出来，按从小到大的顺序排好，取出组成第三个数的4张卡片，依次插入门缝，洞门自开。"

沙和尚拿起5张卡片，分别写着0、1、4、7、9。

沙和尚摆弄5张卡片："我挑哪4张呢？"

这时数学猴醒来。数学猴说："挑0、1、4、7这4张。"

“小猴子,你可醒了。为什么不挑 0 、1 、4 、9 哪?”

“0 + 1 + 4 + 9 = 14 , 14 不是 3 的倍数, 由它们组成的四位数不能被 3 整除。而 0 + 1 + 4 + 7 = 12 , 12 是 3 的倍数,所有由 0 、1 、4 、7 组成的数才符合要求。”

沙和尚也爱动脑筋:“可是, 1 + 4 + 7 + 9 = 21 , 由 1 、4 、7 、9 组成的四位数也可以被 3 整除呀! 为什么不取 1 、4 、7 、9 这四张哪?”

数学猴一竖大拇指:“沙哥这个问题提得好,由 0 、1 、4 、7 组成的四位数,前几个是 1047 、1074 、1407 、1470 ……第三个是 1407 。而由 1 、4 、7 、9 组成的四位数,最小的是 1479 ,从小到大排,它要排在 1470 后面,要排第五个,前三个没它的份儿。”

“小猴子说得有理,我把 1 、4 、0 、7 四张卡片依次插入门缝。”沙和尚刚刚把四张卡片插入门缝,洞门大开。

数学猴高兴地说:“洞门开喽! 我可以进去找吃的啦! ”

“慢! 小心里面有黄袍老怪! ” 沙和尚话声未落, 黄袍老怪从洞里杀了出来,它长得青靛脸,红头发,白獠牙,身披黄袍,手拿一口追风取命刀。

黄袍老怪用刀一指:“何人大胆,敢闯我的山门! ”

沙和尚解释:“我的兄弟小猴子饿坏了,来你这儿要点吃的。”

黄袍老怪把眼一瞪："我还饿了三天哪！你们来了，正好够我吃一顿的。拿命来！"

"黄袍老怪休要逞强，让你尝尝沙和尚的厉害！"

沙和尚拿杖，黄袍老怪拿刀，打在了一起。

两人你来我往，战了足有50个回合，沙和尚渐渐不支。

黄袍老怪叫道："我们已经大战50回合，我越杀越勇！"

沙和尚没了精神："肚里无食，我已经打不动了。"

黄袍老怪飞起一脚："去你的吧！"

"哎呀！"把沙和尚踢倒在地。

黄袍老怪举刀要砍沙和尚："我把这个和尚砍了！"

数学猴扑在沙和尚身上保护："不许你伤害沙和尚。"

"他不是沙和尚，他是大老虎！不信你看。噗！"黄袍老怪对着沙和尚吹了一口气，沙和尚立刻变成了大老虎，吓得数学猴跳了起来。

"哇！真是大老虎呀！"

黄袍老怪抓住数学猴就往山洞里走："用小猴子蘸酱

油，再加点香菜末，吃起来，味道好极了！”

数学猴大叫：“孙悟空救命！孙大圣快来呀！”

说时迟，那时快。一道闪光，孙悟空从天而降，举棒就打：“黄袍老怪，吃我一棒！”

黄袍老怪深知孙悟空的厉害：“啊，这孙悟空来得怎么这样快呀？我快逃吧！”

“把我沙师弟变回来，噗！”孙悟空对着沙和尚吹一口气，沙和尚变回原样。

孙悟空递给数学猴一个手机：“数学猴，我正在大学里学习现代科学技术，给你一个手机。以后找我，给我打手机。”说完就不见了。

数学猴高兴地跳了起来：“酷！酷毙啦！”

沙和尚惊讶地说：“原来你就是数学猴呀！怪不得数学那么好。以后我不再叫你小猴子了，叫你的大名数学猴！”

先斗银角大王

XIANDOUYINJIAODAWANG

数学猴和沙和尚一同赶路。

数学猴说："沙和尚，你已经送我很远了，不用再送我了，让我自己走吧！"

沙和尚摇摇头："这一带山高林密，妖怪经常出没。看，来到平顶山了。"

走上平顶山，他们发现一个写着"莲花洞"的山洞，数学猴探头往里看。

"这个洞叫'莲花洞'，洞里一定有莲花，让我进去看看。"

沙和尚提醒："留神！"

突然，"呼——"的一阵怪风，从洞里刮出，随着怪风，洞里飞出一个妖怪，叫银角大王，手里拿着七星剑。

银角大王大喝："我乃银角大王，何人大胆，偷看我的山洞？"

"我是数学猴，想看看洞里有没有莲花！怎么啦？"

"偷看我山洞的秘密，还敢嘴硬，看剑！"银角大王举剑直取数学猴。

沙和尚用降魔杖挡住银角大王的七星剑:“哪来的银角魔怪？休要无礼！”

银角大王把剑舞得银光闪闪:“吃我的削铁如泥的七星剑！”

沙和尚把杖抡得水泼不进:“尝尝我的力大棒沉的降魔杖！”

大战一百回合,不分高下,银角大王取出一个红葫芦,底朝天,口朝地,拿在手中。银角大王问:“让你尝尝我紫金红葫芦的厉害！我叫你一声,你敢答应吗？”

沙和尚把嘴一撇:“别说是叫一声,就是叫十声,你沙爷爷也敢答应！”

银角大王叫:“沙——和——尚！”

“唉！”沙和尚一答应,立刻被吸进了葫芦里。

沙和尚纳闷："怎么回事？我被吸进葫芦里了！"

银角大王锁好葫芦口的密码锁："哈哈！我锁好密码锁，回洞喝酒去了！"

数学猴跟进洞里，见银角大王和几个妖怪正在开怀畅饮。

妖怪说："大王果然厉害，把一百多千克重的沙和尚，硬给装进小葫芦里了！"

银角大王得意地说："不知道密码，沙和尚别想出来，哈哈！"

一杯接一杯，众妖怪都醉了。

银角大王举着酒杯："咱们——再干 10 杯！我没醉！"

不一会儿，银角大王和几个妖怪都喝得烂醉如泥，数学猴趁机偷得红葫芦。

"我拿走你的红葫芦，你都不知道，还说没醉哪？"

数学猴看葫芦上的字：

"密码是由六位数$1abcde$组成，把这个六位数乘以 3，乘积是 $abcde1$。"

数学猴列出一个算式

$$\begin{array}{rrrrrrr} & 1 & a & b & c & d & e \\ \times & & & & & & 3 \\ \hline & a & b & c & d & e & 1 \end{array}$$

"从右往左考虑。$e\times 3$ 的个位数是 1，而只有 $7\times 3=21$，e 必定是 7。由于 21 在十位上进了 2，这样 $d\times 3$ 的个位数必定是 5，可知 d 等于 5。同样可推出 $c=$

8，$b=2$，$a=4$。”

数学猴高兴地说：“哈，密码是142857。我打开密码锁，救出沙和尚。”

沙和尚出了葫芦，要找银角大王算账：“这个魔头竟敢用暗器伤我，我要和他再战三百回合！”

“沙和尚不要动怒！”数学猴举着葫芦，“红葫芦现在在咱们手里，咱们也酷一把！”

“怎么酷？”

数学猴说：“你把那个银角大王叫出来。”

沙和尚对着洞口高喊：“银角小贼，快快出来受死！”

银角大王醉意全消，提剑出了山洞，看见沙和尚觉得十分奇怪：“咦，沙和尚，你怎么跑出来了？”

数学猴叫他的名字：“银——角——大——王！”

“哎！”银角大王一答应也被吸进葫芦里。

银角大王大吃一惊：“哇——我也被吸进葫芦里啦！”

数学猴笑着说：“乖乖！你也一样进来。”

突然，天空中出现金角怪物：“何人大胆，敢把我的兄弟装进葫芦里！”

数学猴说：“这肯定是金角大王了！”

再斗金角大王
ZAIDOUJINJIAODAWANG

金角大王带着两个小妖精细鬼和伶俐虫来了。

金角大王一指沙和尚:“秃和尚快把我的兄弟银角大王放了,不然的话,让你们死无葬身之地!”

沙和尚“嘿嘿”一阵冷笑:“你吓唬小孩去吧!”

“精细鬼、伶俐虫给我把这个和尚和这个小猴子拿下!”金角大王一声令下,精细鬼和伶俐虫各持一把弯刀,奔沙和尚和数学猴杀去。

“吃我一杖!”沙和尚只一降魔杖就把精细鬼打死。

金角大王抛出法宝晃金绳:“沙和尚,尝尝我的晃金绳的厉害!”

“哇!一条金绳向我飞来。”沙和尚想逃走已经来不及了,晃金绳一匝接一匝把沙和尚捆了个结实。

沙和尚对数学猴说:“坏了,我被晃金绳捆了。”

金角大王“哈哈”大笑:“量你也逃不出我的手心!”

伶俐虫追杀数学猴,伶俐虫横砍一刀:“看刀!”

数学猴跳起抓住了树枝,上了树:“嘻,我上树了。”

“你往哪里逃!我也会上树。”伶俐虫爬树追杀数学猴。

“吃我一泡尿!”数学猴从树上冲他撒了一泡尿。

“这是什么武器,臊死啦!我晕了。”伶俐虫被尿熏晕。

数学猴笑着说:“这叫生物化学武器,只有我们猴子才有。嘻嘻!”

数学猴把伶俐虫捆了起来,拿着他的弯刀问他:“快告诉我,念什么咒语才能让晃金绳松绑?”

伶俐虫晃晃脑袋:“只有说出晃金绳的长度,才能松绑。”

数学猴把刀放在他的脖子上:“快告诉我,晃金绳有多长?”

伶俐虫说:“这个我不知道。只见过金角大王用它量过身高。”

“量的结果是什么?”

“金角大王把晃金绳折成3段去量,绳子比他多出2米;金角大王把晃金绳折成4段去量,绳子还比他多出1米。”

数学猴开始计算:“晃金绳折成3段时:

每一段绳长 $= \frac{1}{3}$ 晃金绳长 = 金角大王身高 + 2米;

晃金绳折成4段时:

每一段绳长 = $\frac{1}{4}$晃金绳长 = 金角大王身高 + 1 米。

两个式子相减

$(\frac{1}{3}-\frac{1}{4})$晃金绳长 = 2 - 1 = 1(米),

晃金绳长 = $1\div(\frac{1}{3}-\frac{1}{4}) = 1\div\frac{1}{12} = 12$(米)。”

沙和尚冲数学猴喊:“快帮我把绳子解开!”

数学猴冲沙和尚喊:“12 米。”

沙和尚苦笑:“我让数学猴给我解开绳子,他却叫 12 米?精神病啦?”

沙和尚突然发现捆绑自己的晃金绳自动松开:“嘿,绳子松开了。我要去找那金角老妖算账去!”沙和尚提杖去找金角大王算账。

见到金角大王,沙和尚喊道:“金角老妖吃我一杖!”

仇人见面分外眼红,金角大王狂叫:“你还我兄弟,看剑!”

金角大王用剑,沙和尚用杖,打在了一起。

数学猴拿着红葫芦,口朝下,底朝上,叫道:“金—角—大—王!”

金角大王答应:“哎——”

数学猴打开葫芦口,金角大王就奔葫芦口飞去。

金角大王恐慌极了:“哇!我被吸进葫芦里去了!”

银角大王看葫芦盖被打开，想从葫芦里出来，结果被金角大王推了进去。

银角大王说："大哥，我要出来！"

金角大王说："兄弟咱俩一块进去吧！"

数学猴给孙悟空打手机："喂，是孙悟空吗？我们得了一条晃金绳，一个装有两个妖怪的紫金红葫芦，你来处理一下吧！"

孙悟空只翻了一个跟头，就赶来了，他手拿着两件宝贝说："这都是太上老君的东西，葫芦是装丹的。晃金绳是太上老君的裤腰带。"

数学猴吃惊地说："啊，用这么长的裤腰带！这腰有多粗呀！"

智斗红孩儿
ZHIDOUHONGHAIER

沙和尚和数学猴一同前行。

数学猴说："你送了一程又一程，请回去吧！"

沙和尚摇摇头："你还在危险区中，前面妖怪还多，我不放心哪！"

正说着，忽然林中传出"救命"的呼声：

"救命啊——救命！"

数学猴一愣："哪里有人喊救命？"

经过寻找，发现一个小男孩穿着一个红兜兜，四肢被倒捆着，吊在树上。

小孩看见数学猴，说道："我被强盗吊在树上，数学猴救命！"

"多么可怜，别着急，我上树救你！"数学猴"噌噌"几下就爬上了树，把小孩救下。

数学猴对沙和尚说："你看这个小孩多可怜，你背背他吧！"

沙和尚背起小孩，心里犯嘀咕："这深山老林里怎么会出来一个小孩？奇怪！"

沙和尚背着小孩没走几步，满头是汗："不对呀！这

小孩怎么越背越沉？他一定是个妖怪！”

数学猴说：“哇——这么漂亮的小孩会是妖怪？你发昏了吧！”

沙和尚一侧身把小孩扔进山涧里：“你骗我沙和尚老实，去你的吧！”

数学猴大惊：“啊，你怎么能把他扔进山涧里啦！太残忍啦！”

突然，被扔下山涧的小孩从“火云洞”中飞出，手提火尖枪。

小孩用手一指：“嘟！我乃牛魔王之子，红孩儿是也。我听说吃了数学猴的肉，数学水平可以增长 10 倍，我在这儿等候你们多时了。”

到这时数学猴才明白：“呀！真是妖精，还要吃我的肉！”

“我把你这个小红妖精，劈成 8 瓣！嗨！”沙和尚抡杖就打，红孩儿举枪相迎。

“我先收拾了你这个老和尚，再吃数学猴也不迟。”

大战 50 回合红孩儿渐渐不支，他虚晃一枪，逃回“火云洞”。

沙和尚在后面紧追：“小红妖精哪里逃！”

红孩儿说：“有种的你别走！”

不一会儿，红孩儿领小妖从洞中推出 5 辆小车，地上事先早画有一个 3×3 方阵，小妖把小车推到一个方阵中，

②	1	⑨
4	③	8
⑥	5	⑦

图 3

各自占据一个格(图 3 画圈的 5 个格里)。

红孩儿对小妖说:“给他们摆个‘阶梯火龙阵’,让他们尝尝我红孩儿的厉害!”

红孩儿右手捏着拳头,照自己鼻子上“嗨!嗨”猛捶两拳。

数学猴问:“红孩儿怎么自己打自己的鼻子?”

沙和尚摇头:“大概有精神病。”

突然,红孩儿用枪向前一指:“烧——”他口中喷火,5 辆车上也燃起大火,“呼——”火向数学猴和沙和尚扑来。

数学猴和沙和尚抱头鼠窜。

“哇!猴屁股着火啦!”

“我头上的几根毛也着了!”

红孩儿高兴地说:“哈哈,小的们,咱们先进洞休息,呆一会儿,出来吃烧猴肉。”

“得令!”红孩儿得胜收兵。

沙和尚和数学猴商量对策。

沙和尚咧着嘴说:“他的火龙阵太厉害啦!”

“我看出来啦!红孩

儿排的是‘阶梯火龙阵’，也就是说第二行的 3 个数 438，正好是第一行 3 个数 219 的 2 倍，第三行的 657 正好是 219 的 3 倍。而当 1 在第一行的正中间时，火焰就向前烧。”

“你有办法破他的阵吗？”

“我让他的‘阶梯火龙阵’的倍数关系保持不变，而把 1 调到第三行的正中间，我这么一改，火就往后烧。你就瞧好吧！”数学猴偷偷溜了过去，把红孩儿摆在地上的“阶梯火龙阵”改了(图 4)。

2	7	3
5	4	6
8	1	9

图 4

沙和尚十分谨慎：“我算算：$546 = 2 \times 273$，$819 = 3 \times 273$，对！3 倍的关系没变。”

数学猴说：“叫阵！”

沙和尚在火云洞前叫阵：“小红妖精，你把沙爷爷的头发燎没了。快出来受死！”

红孩儿带着 5 辆车出来：“这和尚还真经烧！我这次把你烧透了。”

红孩儿又打自己鼻子两拳，用枪往前一指：“嗨！嗨！给我烧！”

这时，火焰突然向后烧，把红孩儿和小妖烧着了。

红孩儿大惊：“哇！这火怎么向后烧了？”

众小妖大叫：“救命啊！”

数学猴说：“这叫以其人之道还治其人之身！哈哈！”

激战鳄鱼怪

JIZHANEYUGUAI

战胜了红孩儿，数学猴和沙和尚来到一条大河旁，河边立一石碑，上写“衡阳峪黑水河”。

数学猴看着河流淌的墨一样的黑水，说：“咱俩来到了黑水河，怪不得河水这么黑哪！”

这时看见两个路人乘上一条小船，一名船夫正撑篙渡他们过河。

数学猴高兴了：“嘿，那儿有一条小船，等一会儿咱俩也坐那条船过去。”

沙和尚却摇摇头：“我看那名船夫，满脸妖气，不像好人！”

船行得很快，转眼到了河中央。只见船夫用篙在空中画了一个圆圈，又大叫一声：“嗽——来吧！”黑水河突然掀起了巨浪“哗——哗——”

两名乘船人掉进河里，船夫变成一条大鳄鱼，只见他长得方脸孔，蓝眼睛，一头乱发，穿着一身铁甲战袍，张开血盆大口在咬乘船人。

乘船人胡喊：“救命啊——”

鳄鱼精大笑："哈，又一顿美餐！"

"可恨的妖孽，拿命来！"沙和尚飞身直奔过去，抡起降魔杖，照鳄鱼精打去。

"嘿，来了一个管闲事的和尚。"鳄鱼精手执一根竹节钢鞭，和沙和尚打在了一起。

沙和尚喝道："小小妖孽有何本事？"

鳄鱼精也不示弱："让你尝尝我的竹节钢鞭的厉害！嗨！嗨！"

鳄鱼精哪里是沙和尚的对手，没战上几个回合，已经不支。

鳄鱼精说："秃头和尚果然厉害，我去把虾兵蟹将搬来助阵！"说完钻进水中去搬兵了。

沙和尚追了上去，大喊："妖怪，你哪里逃？"可惜晚了一步。

突然，河里波涛汹涌，河面上出现了由虾兵蟹将组成的方阵（下面示意图 5 中□表示虾兵，★表示蟹将）。

鳄鱼精叫道："这是由虾兵蟹将组成的方阵，其中蟹将占了其中的两行和两列，蟹将共有 76 名，你能知道虾兵蟹将一共有多少吗？"

★ ★ ★ ★ ★……

★ ★ ★ ★ ★……

★ ★ □ □ □……

★ ★ □ □ □……

★ ★ □ □ □……

图 5

沙和尚直挠自己的光头："让我打这些虾兵蟹将，不在话下。如果算……的话，还要靠数学猴了。"

数学猴说："你打，我算，妖精准完蛋！不过，你先算算试试。"

"好，我先试试。蟹将占了方阵中的两行和两列，如果把列换成行哪，不妨看成是 4 行。4 行共有 76 名蟹将，每行有 $76 \div 4 = 19$ 名，方阵总数是 $19 \times 19 = 361$，我算出来了，总共有 361 名虾兵蟹将。"

数学猴连连摆手："不对，不对！"

数学猴在地上列了一个算式："应该这样算：方阵中每行蟹将有

$$(76 + 2 \times 2) \div 4 = 20 \text{ 名。"}$$

沙和尚摇头："76 为什么还要加上 2×2，再除以 4？

不懂！”

数学猴给沙和尚讲：“左上角的 4 个蟹将在按行数蟹将的时候，数过他们一次；而按列数蟹将的时候又数过他们一次。在方阵中这 4 个蟹将一个顶两个用了，所以要再加上他们一次。”

★ ★ ★ ★ ★……

★ ★ ★ ★ ★……

★ ★ □ □ □……

★ ★ □ □ □……

★ ★ □ □ □……

┆ ┆ ┆ ┆ ┆

数学猴算出总数：“这个虾兵蟹将方阵一行有 20 名，总共有 $20 \times 20 = 400$ 名虾兵蟹将。”

“嗨，我以为有多少哪！才区区 400 个。擒贼先擒王，我还是先拿下这个鳄鱼精吧！”

“看杖！”沙和尚一杖下去，鳄鱼精举鞭相迎，只听“喀嚓”一声，把鳄鱼精的竹节钢鞭打成两节。

鳄鱼精大叫：“我的妈呀！我的手都震麻了！我溜吧！”

“鳄鱼精你哪里逃！”鳄鱼精前面跑，沙和尚后面追。

突然，鳄鱼精用尾巴猛扫沙和尚：“吃我的回马枪！”只听“啪”的一声把沙和尚扫倒在地。

沙和尚说：“好厉害的尾巴！”

沙和尚趁势又一杖："我让你凶！"把鳄鱼精的尾巴打成两节。

"哇！尾巴没了！"鳄鱼精逃进虾兵蟹将方阵。

鳄鱼精将手一举："小的们，拦住这个和尚！"

虾兵蟹将齐呼："杀呀！"直奔沙和尚杀来。

沙和尚抡起降魔杖大喊："不怕死的上来！嗨！"

"哇——没命啦！"虾兵蟹将纷纷倒地。

数学猴在岸上叫："沙和尚，把那些半死不活的虾兵蟹将，扔上几个来，我要吃海鲜！"

"好的，快接着！管饱！"沙和尚往岸上扔虾兵蟹将。

虎力大仙

HULIDAXIAN

吃饱喝足了，沙和尚和数学猴往前赶路，只见许多老百姓正往回跑。

老百姓边跑边喊："吃人啦！虎力大仙吃人啦！"

数学猴一愣："这是怎么回事？"

数学猴拉住一位老人问个究竟："老大爷，谁吃人了？"

老人上气不接下气地说："是——虎力大仙。他——守住一个山口，给每个过路的人出一道智力题，答上的可以过，答不上来，就——吃掉！"

数学猴对沙和尚说："咱们去会会这位虎力大仙。"

沙和尚点头："对！咱们要为民除害！"

虎力大仙正把住山口，远远看见数学猴和沙和尚走来。

虎力大仙高兴："嘿，又来两个送死的！"

数学猴一指虎力大仙："喂，你快点出题！我都等不及啦！"

"还有等死都等不及的。小的们，把旗打出来！"虎力大仙一挥手中的令旗，一排小妖陆续走了出来，每个小妖都举着一面旗。第 1 名举着红旗，第 2 、3 名举黄旗，第 4 、5 、6 名举蓝旗，第 7 、8 、9 、10 名举绿旗，第 11 名又举红旗。

虎力大仙说："这旗的颜色变化是有规律的，我问你，第 85 名举的应该是什么颜色的旗？"

沙和尚一皱眉头："第 85 名还没出来哪，我知道他举什么颜色的旗？"

"答不出来，我可要吃你啦！"虎力大仙张开大嘴就朝沙和尚扑去，"我吃个和尚，好早日升天！"

数学猴拦住："慢！我还没回答你的问题哪！"

虎力大仙催促："快说！我好把你们一起吃掉！"

数学猴十分肯定地说："第 85 名小妖举的是蓝色的旗。"

"说说道理。"

"因为小妖举旗的变化是有循环规律的：举红、黄、蓝、绿旗这一轮的小妖数是 1 + 2 + 3 + 4 = 10(名)，第 85 名是

转了 8 轮，还余 5 。而第 5 名小妖应该举蓝旗。”

“倒霉！让你蒙对了！”虎力大仙挥挥手，“算你们命大，过去吧！”

数学猴站着不动：“不能过！我还没出题考你哪！”

虎力大仙虎目圆睁：“什么？我没听错吧？你敢考我？”

数学猴继续说：“如果你答对了，我们就过去了。如果你答错了，你要吃沙和尚一降魔杖！”

虎力大仙满不在乎：“没有我回答不上的问题。”

“把 1 、2 …… 1997 、1998 放在一起，组成一个很大的数，即 12 …… 19971998 ，问这个数有多少位？”

虎力大仙把这个数写在地上，看着这个数发愣：“这么大数我怎么数呀？ 1 个，2 个，3 个……哇，我都数晕了！”

数学猴问：“你是不是认输？”

“吃我一杖！”沙和尚举杖要打。

“慢！”虎力大仙说，“我不认输，只有你能数出来时，我才认输！”

“好，我让你输得心服口服。从 1 到 1998 共有 9 个一位数，90 个二位数，900 个三位数，999 个四位数。”

虎力大仙掰着手指数：“从 1 到 9 是 9 个数，从 10 到 99 是 90 个数，从 100 到 999 是 900 个数，从 1000 到 1998 是 999 个数。可是往下怎么算？”

数学猴说：“二位数占两位，三位数占三位，四位数占

四位。因此，总的位数是 $9+2\times90+3\times900+4\times999=6885$ 位。一共有 6885 位。”

“害人精，吃我一杖！”沙和尚举起降魔杖就打虎力大仙，虎力大仙抽出双刀就迎了上去。

虎力大仙狂吼：“不吃人，我怎么活呀？”

沙和尚横扫一杖，正打在虎力大仙的头上：“嗨！”

虎力大仙大叫：“哇——吃不了人啦！”

老百姓纷纷过来感谢沙和尚和数学猴：“谢谢你们，为我们除了一害！”

数学猴说：“这是我们应该做的！”

童男童女

TONGNANTONGNV

数学猴和沙和尚路过一座大宅院，里面传出哭声"呜——呜——"

数学猴一惊："里面有人在哭。"

沙和尚往里一指："进去看看。"

数学猴在院中遇到一位老者。

数学猴问："老大爷，出什么事了？"

老人叹了一口气："唉，东边通天河里住着一个水怪，每年都要吃一对童男童女。今年该吃我的一对儿女了。你让我怎么活呀！呜——"说到伤心处，老人又哭了起来。

沙和尚气得直咬牙："咱们不能见死不救啊！"

"那怎么办呢？有了，沙和尚，你会变化，你可以变成一个小男孩，我假扮成小女孩。"

"让水怪吃咱俩，找机会把水怪除掉，好主意！"

数学猴对老人说："老大爷，你给我准备一个特大个的爆竹，一个特大号的鱼钩，一根钢丝绳。"

沙和尚喊了一声："变！"变成一个胖胖的小男孩。

数学猴看了看："果然变成一个小男孩，就是胖了点，丑了点。"

老人吩咐女佣人把数学猴打扮成一个小女孩。

女佣人说："给你戴上假发，穿上花衣服。"

沙和尚乐了："嘻，挺像女孩，就是瘦了点，也不俊。"

沙和尚和数学猴变成的童男童女，并肩坐在方形的供桌上，前面供有一粗一细两根蜡烛，还有香，4个佣人把方桌抬起。

老人连连作揖："祝二位恩人平安，早日把水怪除掉！"

数学猴一龇牙："嘻！老大爷，你就听好消息吧！"

佣人把供桌放到通天河边，都回去了。河边只剩下数学猴和沙和尚两人。

数学猴问："沙和尚，你说水怪是先吃你呀，还是先吃我？"

沙和尚说："当然先吃男孩了。"

河里突然掀起巨浪，水怪出现了，只见水怪穿着金盔金甲，腰缠宝带，眼亮如明月，牙利似锯齿。

数学猴吃了一惊："哇——水怪真的来了！"

水怪见到数学猴和沙和尚大笑："乖乖，童男童女早就准备好了，就等着我吃了！哈哈！"

数学猴一指水怪："喂，水怪，你来晚了！"

水怪有点纳闷："嗯？还有人希望我把他们早点吃掉？你说我来晚了多少时间？"

数学猴说："供桌上点有一粗一细两根蜡烛。知道粗蜡烛可以点 5 小时，细蜡烛可以点 4 小时。我们到这儿就把两根蜡烛点上了，现在粗蜡烛的长度恰好是细蜡烛的 4 倍，你说我们等了多长时间了？"

"啊，考我数学题？"水怪说，"我听说只有神仙才会做数学题，妖怪都不会。"

"不会要好好听着点，我小——美女算给你听！"数学猴边写边说，"我用方程给你算。设已经点了 x 小时，由于粗蜡烛可以点 5 小时，因此粗蜡烛每小时点去它长度的 $\frac{1}{5}$，而细蜡烛每小时点去它长度的 $\frac{1}{4}$。"

水怪点点头："说得对！"

数学猴又说："现在粗蜡烛的长度恰好是细蜡烛的 4 倍，可以列出方程

$$1-\frac{x}{5}=4\left(1-\frac{x}{4}\right),$$

解出 $x=\frac{15}{4}$ 小时。

我们等你有 3 小时 45 分钟了。"

“过去我都是先吃童男，今天小美女等得这么着急，长得又这么可爱，我就先吃你吧！”水怪张开大嘴朝数学猴咬去，数学猴趁机把爆竹点着：“我快把爆竹点上。”

数学猴快速地把点着的爆竹扔进水怪的嘴里：“让你尝尝这美式快餐吧！嘻嘻！”

“轰！”爆竹在水怪嘴里爆炸。

水怪大叫：“哇！疼死我啦！”水怪钻进水中。

沙和尚忙说：“别让他跑了！”

“他跑不了，大爆竹里有特大号的鱼钩，鱼钩早把他钩上了。”数学猴手里拿着钢丝绳。

数学猴和沙和尚合力拉钢丝绳，数学猴唱号子：“咱俩齐努力呀——”

沙和尚跟上：“嗳咳咳呦——”

从河里拉出一条金鳞金甲的大鱼。

“原来是条鱼精。”

沙和尚照着大鱼，猛打一杖：“我让你吃人！”

智擒青牛精
ZHIQINQINGNIUJING

数学猴和沙和尚上了一座大山，看到一个山洞，洞口上写着“青牛洞”三个字。

数学猴兴奋地说：“这‘青牛洞’里一定有大青牛，咱们逮上一条骑着走，那该多省力啊！”

沙和尚摇摇头：“怕没那么好的事。”

“我进洞逮牛去了，拜拜！”好奇心驱使数学猴独自走进洞里。

沙和尚嘱咐：“多加小心！”

不一会儿，数学猴被青牛用牛角顶了出来。

沙和尚问：“哎，你怎么没骑着牛出来呀？”

数学猴苦笑：“用角顶出来，速度更快！”

青牛精把数学猴狠狠摔倒在地：“一只小猴子，想找死啊！哞——”然后用牛角想把数学猴顶死。

沙和尚用杖来救：“畜生，休要逞强。看杖！”

青牛精亮出点钢枪，和沙和尚战到了一起。

“我先收拾你这个秃和尚,看枪!”

“我与你大战三百回合。”

战了有一百多回合,青牛精看不能取胜,他口中念着咒语:“‘牛奶、牛排、牛肉汉堡’,收!”他向空中扔出一个钢圈,沙和尚的降魔杖立刻脱手,被钢圈套走了。

“哇!我的降魔杖飞了!咦,他的咒语里怎么都是好吃的?”

数学猴和沙和尚在前面跑,青牛精挺枪在后面追:“哪里跑!”

数学猴说:“快上树,牛不会上树!”沙和尚和数学猴爬到树上。

“我只好给孙悟空打手机了。喂,孙大圣吗?快来救我们!”

青牛精坐在树下等候:“我看你们能在树上呆一辈子?”

突然,孙悟空从天而降,举棍就打:“大胆妖魔,吃你孙爷爷一棍!”

青牛精挺枪相迎:“你是我爷爷?不对!我爷爷是牛,不是猴!”

青牛精口中念着口诀:“牛奶、牛排、牛肉汉堡,收!”向空中扔出一个钢圈,孙悟空的金箍棒立刻脱手,被钢圈套走。

孙悟空也吃了一惊:“乖乖,我的金箍棒也被他没收了!我也只好上树了!”

孙悟空和数学猴坐在树枝上商量对策。

孙悟空问:"数学猴,你看怎么办?"

数学猴想了一下说:"你不是会变化吗?你变只蚂蚁,爬到他的钢圈上看看,有什么秘密?"

"这个容易。"孙悟空变成的蚂蚁,追上青牛精。青牛精在大树下休息,蚂蚁又爬上钢圈,把钢圈里里外外转了个遍。

蚂蚁自言自语:"外面有 12 个方格,间隔着写有 3 个数。里面还有字,写着:'把空格中都填上数,使得任何 4 个相邻数字之和都等于 18 ,此圈功能失效。'"

突然孙悟空发现了自己的金箍棒:"嘿,金箍棒在这儿,我拿走吧!"

孙悟空恢复了原样,回到树上,把 12 个方格画出。

孙悟空指着方格对数学猴说:"只要把空格都填上数,使得任何 4 个相邻数字之和都等于 18 ,这个圈就完蛋了!你看,我还顺手把金箍棒拿回来了。"

			3			7		6			

数学猴说:"既然任何 4 个相邻数字之和都等于 18 ,而且在圆环上,数字的出现必然是循环的。从和 18 中减去 3 、7 、6 求差:18 - 3 - 7 - 6 = 2 。你按下面数字去填:

6	2	7	3	6	2	7	3	6	2	7	3

孙悟空跳下树,又变成蚂蚁,爬上钢圈,把空格中的

数字都填上。

孙悟空恢复了原样，照着青牛精抡棍就打："我打死你这条笨牛！"

青牛精感到奇怪："唉？孙猴子什么时候把金箍棒拿走了！"

孙悟空和青牛精战到了一起。孙悟空越打越来劲："嗨！嗨！嗨！"一棍紧似一棍。

青牛精渐渐不支："孙悟空的棒，一棒更比一棒重。我还是把我的宝圈扔出去吧！"

青牛精把钢圈又抛向空中，口念咒语："牛奶、牛排、牛肉汉堡，收！"

孙悟空把金箍棒递出去，让他套："给你金箍棒，你套啊！这次你念出牛舌饼来也没用了。"

钢圈又抛向空中，数学猴在树上伸手把钢圈接住："你拿过来吧！"

青牛精一看宝贝不起作用，惊出一身冷汗："啊，他把宝圈给没收啦！"

孙悟空一棒将青牛精打倒在地："你给我老老实实躺下吧！"

青牛精"哞——"摔倒在地。

孙悟空将钢圈穿过青牛精的鼻子："这个钢圈正好当青牛精的鼻环，我把牛牵走了！"

数学猴向孙悟空招手："谢谢孙大圣，再见！"

真假沙和尚

ZHENJIASHAHESHANG

数学猴要去方便："沙和尚，我去方便一下。"

沙和尚说："快去快回。"

数学猴方便回来，出现了奇怪的现象：发现两个一模一样的沙和尚同时叫他。

左边的沙和尚喊："数学猴，快来！"

右边的沙和尚喊："数学猴，快来！"

数学猴左右为难："嘿，出了两个沙和尚，哪个是真的？"

左边的沙和尚说:“我是真沙和尚!”

右边的沙和尚说:“我是真沙和尚!”

两个沙和尚打了起来。

左边的沙和尚高叫:“我打死你这个假沙和尚!”

右边的沙和尚高喊:“我打死你这个假沙和尚!”

数学猴一捂脑袋:“哇——乱了套啦!”

数学猴琢磨分辨的方法:“怎样才能分出真假呢?对啦!真沙和尚和我走了一路,学了不少数学,他解题能力肯定比假的强。我考考他俩。”

数学猴分开两个沙和尚:“住手!我来出道题考考你们,看看谁真谁假。”

左边的沙和尚点头:“行!”

右边的沙和尚点头:“行!”

数学猴说:“我前些日子遇到的妖怪,除了两个以外都是虎精,除了两个以外都是鱼精,除了两个以外都是牛精,你们说说我遇到了多少妖怪?”

一个沙和尚说:“起码有一二百个妖怪!”

数学猴问:“为什么?”

这个沙和尚说:“你想啊!除了两个以外都是虎精,这虎精就多了,起码有几十个。鱼精有几十个,牛精有几十个,加起来还不有一二百!”

数学猴给这个沙和尚的脑门上贴了一个圆片:“我给

你脑门上贴个圆片。”

这个沙和尚高兴地说：“嘿，我答对了吧！我是真沙和尚。”

另一个沙和尚出来说话：“他说得不对！数学猴前些日子只遇到了一只虎精、一只鱼精和一只牛精，一共是3个妖怪。除了鱼精和牛精就都是虎精了，其他两个说法也一样。”

数学猴眼珠一转：“答一道题还难分真假。你们再听我第二道题：有两个自然数，这两个自然数相乘，把乘积往镜子里一照，镜子里出现的数恰好是这两个数之和。问这两个数都是几？”

头上贴圆片的沙和尚抢着说：“6和8，6是六六顺，8是发发发！这可是两个吉祥数啊！听说挑这两个数的汽车牌，还要多花钱哪！”

另一个沙和尚说：“不对！考虑从1到9这九个数，只有1和8从镜子里看还是数，别的数都不成。$9\times9=81$，从镜子看是18，而$9+9=18$，正好合适。”

数学猴给这个沙和尚的脑门上也贴了一个圆片：“我给你脑门上也贴个圆片。”

数学猴给孙悟空打手机：“喂，孙悟空吗？我这儿出现了两个沙和尚，不过我已经知道真假了，你来处理一下吧！”

过了一会儿，猪八戒匆匆赶来："孙猴子说，他正在参加数学考试，来不了。让我老猪来处理一下。"

数学猴拉住猪八戒的手："欢迎猪八戒！"

猪八戒问："数学猴，这两个哪个是真沙和尚？哪个是假的？"

数学猴说："揭下他们脑门上的圆片，就会真相大白！"

"我先揭你的圆片。"猪八戒揭下一个圆片，上面写着"真"。

"啊，上面写着'真'，不用说，你是我的沙师弟喽！"猪八戒和沙和尚搂抱在一起。

另一个沙和尚一看，事情已经败露，立刻现出本身，原来是一只熊精，他手使两个大锤杀了过来："我把你们3个统统消灭！"

猪八戒一招手："沙师弟，上！"

"好的！"沙和尚抡杖，猪八戒使耙，一左一右夹攻熊精。

大战了有五十回合，熊精露出一个破绽，被猪八戒一耙给钉死。

猪八戒说："一耙9个窟窿，我把你打成筛子！"

数学猴跳起来："好啊！我们胜利啦！"

李毓佩数学故事系列

海龙王请客

LI
YU
PEI
SHU
XUE
GU
SHI
XI
LIE

仙石有多大

XIANSHIYOUDUODA

有个叫小牛的小朋友，喜欢数学，又非常爱看《西游记》。他每天学孙悟空的样子，练猴拳，耍木棍……

一天，小牛正在院里耍棍，忽然从空中降下一朵祥云。祥云散开，孙悟空出现在小牛的眼前。大圣高叫一声："看棍！"金箍棒带着"呼呼"的风声直朝小牛砸来。

小牛慌忙用手中的木棍相迎。战过两个回合，小牛收棍，问："大圣，你教我练棍，成吗？"

孙悟空挠了挠下巴，说："你教我数学，我才教你练棍。"

小牛高兴地说："好，咱们一言为定！"

孙悟空拉住小牛喊了一声："起！"两个人就腾空而起，向前飞去。

小牛问："你这是往哪里去呀！"

孙悟空往前一指："看，前边就是花果山，山顶有一根石柱。"

小牛睁大眼睛一看，果然看见山顶上有一个巨大的圆柱形巨石。

大圣说："此仙石，高 3 丈 7 尺 5 寸，底面圆的周长 2

丈4尺。当初就是这块仙石迸裂，我才从中跳了出来。你帮我算算这块仙石的体积有多大？”

小牛脖子一歪，问：“仙石既然迸裂，怎么会完好无损地立在这儿？现在长度单位都用米、分米、厘米了，你怎么还用丈、尺、寸呀？”

大圣愣了一下，说：“我跳出来后，迸裂的仙石又自动合拢复原了。我只知道丈、尺、寸，你说的米、分米、厘米是什么玩意儿？”

“好，好，我给你算。”小牛说，“此仙石是圆柱体，它的体积等于底面积乘以高。已知高是3丈7尺5寸，可是底面积不知道呀！”

孙悟空着急地问：“这如何是好？”

小牛一摸后脑勺说：“唉，有了。知道圆周长可以求出半径，有了半径就可以求出圆面积。”

小牛在一张纸上算了起来：

1米＝3尺

3丈7尺5寸＝37.5尺＝12.5米

2丈4尺＝24尺＝8米

$8 \div 3.14 \div 2 \approx 1.27$（米）——底面半径

$3.14 \times 1.27^2 \approx 5.06$（平方米）——底面积

$5.06 \times 12.5 \approx 63.25$（立方米）——体积

小牛指着答案说：“小猴子，仙石体积算出来了！”

“什么？你敢叫我小猴子？吃我一棒！”孙悟空举棒就打。

金箍棒有多重

JINGUBANGYOUDUOZHONG

小牛叫孙悟空“小猴子”，惹怒了孙大圣。孙悟空抡起金箍棒高起轻落，就把小牛压在棒下。

孙悟空喝道：“嘟！大胆的小牛，竟敢称我齐天大圣为小猴子！”

小牛被金箍棒压得喘不过气来，大声叫道：“好重，好重，啊，救命啊！压死我了！”

大圣说：“此金箍棒长 2 丈，直径 4 寸，乃天河中神针铁所制。一块 1 寸见方的神针铁就有 5 斤 3 两 7 钱重。你能算出我的金箍棒有多重，我就放了你。”

小牛想了想，说：“金箍棒也是圆柱体，它的体积是 $3.14 \times 4^2 \times 200 = 10048$（立方寸）。金箍棒的重量是 $5.37 \times 10048 \approx 54000$（斤），啊，重 54000 斤？！”

“不对，不对。”孙悟空摇晃着脑袋说，“如果有那么重，早把你压扁了！”

“错在哪儿呢？”小牛捂着脑袋想了想说，“噢，我想起来了！我错把直径当作半径了，只要把 54000 斤除以 4 就对了。应该是 13500 斤，根据 1 千克 = 2 斤，把金箍棒的重量换算成千克是 6750 千克。啊，差不多有 7 吨重！压死我喽！”

“哈哈。”孙悟空笑道，“我用手托着金箍棒呢！压在你身上的重量不超过 25 千克。”

孙悟空伸手拉起小牛，说：“用棒压你，是我的不是。走，我带你去蟠桃园吃几个仙桃，也好让你补补身体。”说罢带着小牛腾空而起，直奔蟠桃园飞去。

园中土地老儿见孙悟空来了，不敢怠慢，忙迎上去问：“大圣来此，是品尝仙桃吗？”

孙悟空问：“土地老儿，园中桃树还是那么多吗？”

土地老儿点头说：“不错。园中桃树还是 3600 棵。前面 1200 棵叫前树，3000 年一熟，人吃了体健身轻；中间 1200 棵叫中树，6000 年一熟，人吃了长生不老；后面 1200 株叫后树，9000 年一熟，人吃了与天齐寿。”

小牛在一旁问：“大圣，上次你大闹蟠桃园，一共吃了多少个仙桃？”

孙悟空眨了眨眼睛说：“吃多少个桃子我记不得了。熟桃子嘛，前树我留下了 10 个，中树留下了 20 个，后树一个没留。”

小牛忙问：“前树、中树、后树各有多少个熟桃子呢？”

孙悟空“嘻嘻”一笑，说：“听我慢慢地往下说。”

仙桃吃多少

XIANTAOCHIDUOSHAO

小牛问孙悟空吃了多少仙桃，孙悟空说：“前树从第一棵开始数，序号是单数的树上有 2 个熟桃子，是双数的树上有 3 个熟桃子，你算算我在前树吃了多少个桃子？”

小牛说：“前树有 1200 棵，其中单数 600 棵，双数 600 棵，共有熟桃子$(2+3)\times 600=3000$（个），你留下 10 个，吃了 2990 个。”

大圣说：“中树也从第一棵开始依次往下数，凡序号是 3 的倍数的树上，都有 3 个熟桃子；凡序号是 4 的倍数的树上，都有 4 个熟桃子；其余树上全是大青桃，吃不得。”

“那既是 3 的倍数，又是 4 的倍数的树上有几个熟桃子？”小牛问。

“这……让我想想。”孙悟空眨了眨眼睛，“噢，对了，这种树上光长树叶，不长桃。”

“原来是这样。”小牛从地上拾起一根干枯的蟠桃树枝，“大圣，我算给你看。”说完，在地上写了起来：

序号是 3 的倍数的树有：$1200 \div 3 = 400$（棵）

序号是 4 的倍数的树有：$1200 \div 4 = 300$（棵）

序数既是 3 的倍数，又是 4 的倍数的树有：

$1200 \div (3 \times 4) = 100$（棵）

中树上共有熟桃子：

$3 \times (400 - 100) + 4 \times (300 - 100) = 1700$（个）

“好个贪吃的孙大圣！”小牛说，“中树的 1700 个桃子只留下 20 个，吃了 1680 个！”

孙悟空说：“后树上的熟桃子太少了。从第一棵数起，凡是序号能同时被 2、3、5 整除的，树上才有 1 个熟桃子，其余都是大青桃！”

小牛说：“2、3、5 的最小公倍数是 $2 \times 3 \times 5 = 30$，$1200 \div 30 = 40$（棵），这就是说，后树只有 40 棵树上有熟桃子，而且每棵树上只有 1 个，一共才 40 个熟桃子，你都给吃了。”

大圣说：“我总共吃了 $2990 + 1680 + 40 = 4710$（个）仙桃，咳，不多，不多。”

孙悟空一拉小牛说：“走，进去吃仙桃去！”

守园的土地慌忙拦阻说：“且慢！大圣上次只

留下 30 个熟仙桃，其余仙桃还没熟。这次又带来一位小神仙，恐怕 1 个熟桃子也剩不下了呀！”

大圣一听不让吃桃子，大怒：“大胆土地，竟敢拦我老孙吃桃，看棒！”抡棒就打。

突然，金光一闪，哪吒太子脚踏风火双轮赶来，挺枪挡住金箍棒：“泼猴，又来蟠桃园捣乱，吃我一枪！”

RULAIFODESHOUXIN 如来佛的手心

孙悟空带着小牛去吃仙桃，与哪吒太子打了起来。小牛看如来佛走来，急忙跑了过去说："打仗啦！"

小牛对如来佛说："他俩打起来了，你快去把他们拉开吧！"

如来佛大喝一声："何人在此打斗？"

孙悟空和哪吒连忙收住手中武器，一齐跪倒说："如来佛祖驾到，弟子失礼啦！"

如来佛问："你们为何打斗？"

大圣说："我想吃几个仙桃，他硬不让吃！"

哪吒说："上次这个泼猴把蟠桃园糟蹋得一塌糊涂，这次又来偷吃仙桃！"说完又要动手去打悟空。

"大胆！"如来佛一瞪眼，"你们两个究竟谁的本领大？"

孙悟空性急，抢先说："我一个筋斗可以翻出十万八千里。我翻个给佛祖看看如何？"

小牛在一旁提醒说："大圣，你在地球上翻筋斗可不合算，你一个筋斗翻出去，只相当于翻出去二万八千里。"

孙悟空不明白，问："这是为什么？"

小牛解释说："地球半径大约等于 6400 千米，绕地球一圈大约是 3.14 ×(6400 × 2) ≈ 40000（千米）。1 千米 = 2 里，108000 里合 54000 千米。你一个筋斗绕地球一圈后又过去 54000 − 40000 = 14000（千米），实际上才离开原地 14000 千米！也就是二万八千里，是不是？"

"对，对。"大圣又问，"那我在地球上连续翻几个筋斗才能翻回原地呢？"

"这也可以算，先要求出 14000 和 40000 的最小公倍数。"小牛说，"它们的最小公倍数是 280000，再用 280000 除以 14000，恰好得 20。说明你连续翻 20 个筋斗就可以落回原地。"

"20 个筋斗有何难，看俺老孙翻去！"说罢，孙悟空就一个接一个地翻起筋斗来，20 个筋斗翻完，果然又落回原地。

小牛说：

“你总共绕地球转了 27 圈。”

孙大圣对如来佛说：“上次我翻了半天也没翻出你的手心，今天让我再试一次？”

如来佛点了点头。

孙悟空从如来佛手掌的一边开始，翻了 7 个筋斗，翻到了手掌的另一边。他回头对小牛说：“你给我算算，如来佛的手掌有多宽？”

小牛列了个算式：

54000 × 7 = 378000（千米）

他告诉孙悟空，如来佛手掌的宽相当于地球到月亮的距离。

如来佛叫住小牛，说：“我有一事不明，请小施主指教。”

谁活的年数多

SHUIHUODENIANSHUDUO

如来佛叫住小牛。小牛回身说:“有什么问题,请如来佛提吧!”

如来佛说:“我最关心的是我们这些神仙能活多大岁数?”

小牛问:“你要算哪位神仙呢?”

“我来啦!先算算我这个猪神仙能活多少年吧!”只见猪八戒扛着钉耙跑了过来。

八戒对小牛说:“五庄观的人参果,1万年才能成熟。此果闻一闻能活360年;吃一个,能活.47000年。上一回,我一连闻了250下,又囫囵吞下一个人参果。你算算我能活多大岁数?”

“俺老孙给你算一算。”孙悟空列了一个算式:

$$
\begin{aligned}
& 360 \times 250 + 47000 \\
= & 90 \times (4 \times 250) + 47000 \\
= & 90000 + 47000
\end{aligned}
$$

= 137000（岁）

“哈哈，我老猪可以活 137000 岁，天下第一！”猪八戒乐得手舞足蹈。

突然，一个道童仗剑刺来，口中大喊：“好狂的大耳贼，看剑！”

孙悟空回头一看，说：“这不是镇元子的二徒弟明月吗？”说着用金箍棒把明月的剑挡开。

明月指着八戒的鼻子说：“你敢口出狂言！我已活了 1200 年，人参园开园时，师傅分给我$\frac{2}{5}$个人参果吃；上次打了两个人参果给你师傅吃，他不吃，我又吃了一个。另外，我还闻过 202 次人参果，你说说我活的岁数是不是要比你大？”

“慢来，慢来，待俺老孙算算。”孙悟空又列了一个算式：

$$1200 + 47000 \times \frac{2}{5} + 47000 + 360 \times 202$$

孙悟空捂着脑袋说："哎呀！这个式子太难算了，小牛，有什么好办法吗？"

小牛想了一下说："可以用乘法结合律和分配律使计算简便。"

$$1200 + 47000 \times \frac{2}{5} + 47000 + 360 \times 202$$

$$= 47000 \times \left(\frac{2}{5} + 1\right) + 1200 + (360 \times 200 + 360 \times 2)$$

$$= 65800 + 1200 + 72720$$

$= 139720$（岁）

明月高兴得一蹦老高："太好喽！我能活 139720 岁，比你老猪多活 2720 岁！"

八戒大怒："小老道，吃我一耙！"明月拔剑还击，两个打成一团。

铁扇公主报仇

TIESHANGONGZHUBAOCHOU

八戒和明月正打得热闹。突然一朵祥云飘来。他俩抬头一看，啊，是玉帝驾到。八戒和明月赶忙扔掉手中武器，跪倒在地，齐声说："玉皇大帝驾到，小神有礼啦！"

玉皇大帝满脸怒容，说："又打又吵，成什么样子！我自幼经历 1750 劫，每劫是 129600 年，你们也给我算算，我有多大岁数？"

"玉帝老儿，还是让我老孙给你算吧！"悟空趴在地上边算边说，"129600 × 1750，按小牛教我的简便算法，先从 1750 中分解出一个 250 来，再从 129600 中分解出一个 400 来，就好算了。"

$$
\begin{aligned}
&129600 \times 1750 \\
&=(324 \times 400)\times(7 \times 250) \\
&=(324 \times 7)\times(400 \times 250) \\
&=2268 \times 100000 \\
&=226800000（岁）
\end{aligned}
$$

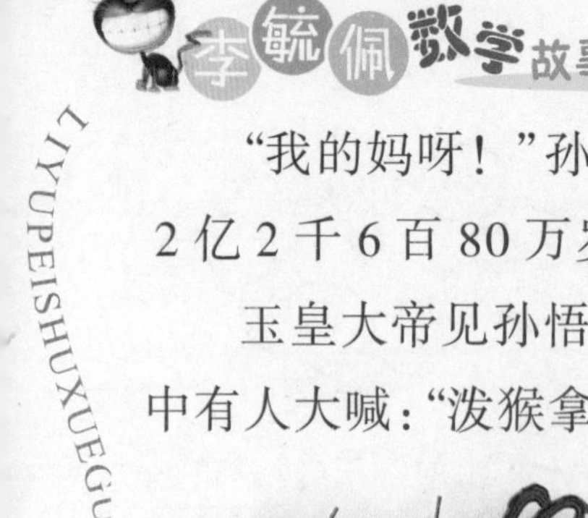

“我的妈呀！”孙悟空的眼睛瞪得溜圆，“你老头活了2亿2千6百80万岁！可真是万万岁啦！”

玉皇大帝见孙悟空不尊重自己，刚要发怒，只听半空中有人大喊：“泼猴拿头来！”声到剑落，悟空低头躲过来剑，定睛一看，原来是铁扇公主。

铁扇公主叫道：“上次你盗我铁扇，今天我要剁你几剑，以消我心头之恨！”

悟空把脑袋一伸说：“你只管剁好了！”

铁扇公主性起，抡起宝剑狠命剁下去，只听宝剑“当、当”乱响，火星直冒，再看悟空，毫毛未伤，只是个子矮了许多。

悟空笑嘻嘻地说：“你这剑可真厉害，把我给剁矮了，我现在的身高只有原来的$\frac{2}{5}$了！”

“我还要剁！”铁扇公主又没头没脑地劈了几剑。悟空又矮了许多，身体只有火柴棍那么高了。

“哈哈！”悟空又蹦又跳，开心地说，“我现在的身高是刚才的$\frac{1}{25}$，只有1寸高了！”

正当铁扇公主咬着牙继续追杀时，她丈夫牛魔王恰好赶来。只见悟空高高蹦起，“哧溜”一声钻进牛魔王的鼻子里。

“啊嚏！啊嚏！”牛魔王连打两个喷嚏，请求悟空说：“大圣快出来，我难受极啦！”

悟空在牛魔王鼻子里露出一个小脑袋，说：“让我出来也不难，你们给我算算，我原来身高是多少？”

铁扇公主和牛魔王都不会算，只好求小牛帮忙。小牛说：“悟空现在的身高是1寸，原来身高就是$1\div\frac{1}{25}\div\frac{2}{5}=62.5$（寸），约合2.08米。”

悟空从牛魔王鼻子里“噌”地蹿了出来，大声叫道：“我要吃牛肉！”

海龙王请客

HAILONGWANGQINGKE

铁扇公主听说孙悟空要吃牛肉，吓得连连摆手说："吃不得，吃不得呀！"

孙悟空摇晃着脑袋说："我也不多吃，今天吃 60 千克，明天再吃 60 千克，牛魔王还剩下原来重量的$\frac{11}{13}$，你说说牛魔王原来有多重？"

"这……"铁扇公主不会算，她回头求小牛说："我丈夫姓牛，你也姓牛，你就帮我算算牛魔王有多重吧！"

小牛是个好心肠的孩子。他爽快地答应说："好吧！

把牛魔王原来的体重看做'1'，大圣两天共吃掉的肉占牛魔王原来体重的 $1-\frac{11}{13}=\frac{2}{13}$，这 $\frac{2}{13}$ 有 120 千克，所以，牛魔王的体重为 $120\div\frac{2}{13}=780$（千克）。哟，

真够重的！”

铁扇公主恳求孙悟空说：“请大圣开恩，不要吃牛肉吧！”

小牛也在一旁劝说：“放了他们吧！天气这么热，有肉也吃不下。”

“也罢。小牛，我带你去东海乘乘凉，顺便弄点儿海鲜吃吃。”说完拉起小牛直奔东海飞去。

刚到东海，海面突然裂开一道缝，一名海怪走了出来，见到大圣跪倒说：“东海龙王请大圣到龙宫赴宴。”

“好，好，有人请客，咱俩去白吃一顿！”大圣拉住小牛的手，跟着海怪走进龙宫。

东海龙王正在操练虾兵蟹将。一大群虾兵每人手中

拿一长枪，在蟹将指挥下一招一式地认真操练。

大圣问：“这虾兵足有100名吧？”

“不够，不够。”龙王摇摇头说，“用虾兵数加上它的100%，50%，25%，最后加上那名蟹将才够100。”

龙女走近悟空，细声细气地说：“听说大圣近来专心学习数学，定能算出虾兵数来。”

“没有问题。”悟空来了精神，说，“设虾兵有x名，虾兵数的100%，50%，25%分别是100%x，50%x，25%x，再加上一个蟹将是100，列方程得：100%x + 50%x + 25%x + 1 = 100。”

龙女催问：“虾兵到底有多少啊？”

“我算，我算。”悟空急忙解方程：

x =（100 − 1）÷ 175%

x = 56.514728

悟空长出了一口气，说：“算出来啦！虾兵的总数是56个半多一点儿。”

龙王大惊：“啊！半个虾兵还能操练？”

好大的鲸鱼

悟空算出虾兵有56个半还多一点儿，把东海龙王吓了一跳。

小牛赶紧跑过来，凑到悟空的耳朵旁，小声说：“错了！你忘了加上原来的虾兵数 x 了！”

“嗯？”悟空眼珠一转说，“半个多虾兵怎么能操练！我是和龙女开个玩笑。正确的解法应该是：$x + 100\%x + 50\%x + 25\%x + 1 = 100$，$x = 36$，有36名虾兵。”

龙王点点头说：“不错，不错。传我的命令，虾兵撤走，让大鲸鱼上殿！”话音刚落，只见一头巨大的蓝鲸慢慢游来。

悟空惊叹道：“好大的鲸鱼！足有5000千克吧。”

龙女微笑说：“它前年就有5000千克了，去年体重增加了30%，今年又比去年增加了30%。”

“噢，我来算算它有多重。”悟空写出算式：

$$5000 + 5000 \times 30\% + 5000 \times 30\%$$
$$= 8000(\text{千克})$$

龙王摇摇头说：“何止8000千克！”

悟空挠了挠头说:“怎么又错啦?小牛快帮我看看错在哪里?”

小牛看了看孙悟空的演算过程,说:“龙女说鲸鱼前年的体重是5000千克,去年增加了30%,而今年是在去年的基础上增加了30%。鲸鱼去年的体重是$5000\times(1+30\%)=6500$(千克),而不是5000千克!”

“原来如此!我再算。”悟空又写出了一个算式:

$$5000+5000\times30\%+5000\times(1+30\%)\times30\%=8450\text{(千克)}$$

龙王竖起大拇指夸奖说:“几年不见,大圣数学长进不小啊!”

悟空忙说:“哪里,哪里!都是小牛教给我的。”

突然,海怪进来报告:“禀报龙王爷,门外有个扛钉耙、长着猪脑袋的和尚来找孙大圣!”

悟空龇牙一笑说:“噢,八戒来啦!”

龙王一摆手说:“快,有请!”

不一会儿,猪八戒抱着一坛子酒走了进来。

八戒乐呵呵地说:“玉皇大帝刚刚赐我仙酒一坛,重10千克,听说猴哥在龙王这儿,我特赶来,请各位品尝。”

悟空眼珠一转,心想:仙酒不多,我可要多喝一点。好,有主意啦!

大圣分酒

DASHENGFENJIU

八戒抱来一坛子10千克的仙酒，悟空想多喝仙酒，就开始想点子。

悟空说："仙酒不多，我少分点儿吧！先分给我10％。"

"10％？才1千克！不多，不多！"八戒说，"我分多少？"

悟空没有理睬八戒，他对小牛和龙王说："小牛从我分剩的酒中分25％，龙王从小牛分剩的酒中也分25％。"

八戒有点儿沉不住气了，大声说："猴哥，这仙酒可是我拿来的。我应该多分一点儿！"

悟空点点头说："对，对，你多分一点儿。你从龙王分剩的酒中分30％，最后剩多少算多少，全归我啦！"

八戒听说自己分到30％，比别人都多，就笑嘻嘻地对小牛说："猴哥第一次这么大方，你帮我算算，我究竟能分多少酒？"

小牛笑笑说："我愿意帮忙。大圣先分10％的酒，就是$10 \times 10\% = 1$（千克），还剩下$10 - 1 = 9$（千克）；

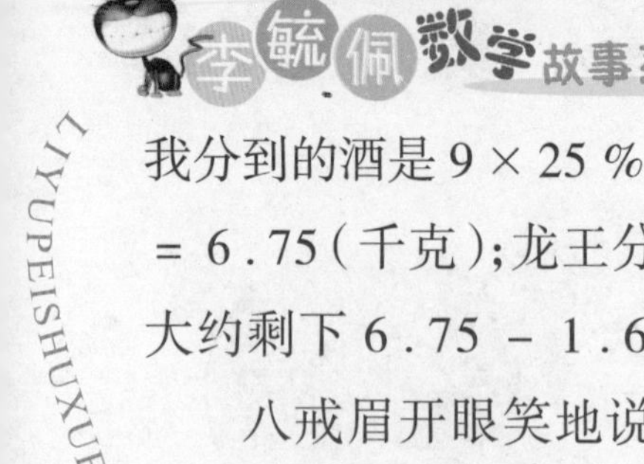

我分到的酒是 9 × 25 % = 2.25（千克），还剩下 9 - 2.25 = 6.75（千克）；龙王分走 6.75 × 25 % ≈ 1.69（千克），大约剩下 6.75 - 1.69 = 5.06（千克）。”

八戒眉开眼笑地说：“我分到 30 %，肯定最多！”

小牛一指八戒的鼻子说：“你，猪八戒只分到 5.06 × 30 % ≈ 1.52（千克）酒，还剩下 5.06 - 1.52 = 3.54（千克）酒归大圣，他一共分得 1 + 3.54 = 4.54（千克）。”

八戒大怒，指着悟空说：“好个猴头！你用数学把戏骗我，你差不多分去半坛子酒，我却分得最少！”

悟空见八戒发怒就越发高兴。他笑嘻嘻地说：“八戒别生气，龙王这里还有玉液琼浆一坛，也是 10 千克，这次多分些给你怎么样？”

八戒怒气未消，问：“这次怎样分法？”

悟空说：“这次你先分 10 %，小牛分 25 %，龙王也分 25 %，我分 30 %，剩下的全归你，你看成不成？”

八戒一听，觉得这次的分法和刚才一样，只不过自己和孙悟空互换了位置，那自己也可以分到差不多半坛子酒，就点头答应说：“刚才余下的是大头，这次你把大头让给了我，行，行！”

酒分完了，八戒又傻眼了，气得他大叫：“怎么回事？这次又是我分得最少！”

八戒受骗

BAJIESHOUPIAN

八戒让小牛给算算每人分得多少玉液琼浆，小牛很快写出算式：

小牛分到 10 × 25 % = 2.5（千克）

龙王分到 10 × 25 % = 2.5（千克）

悟空分到 10 × 30 % = 3（千克）

八戒分到 10 - 2.5 - 2.5 - 3 = 2（千克）

八戒一看，又是自己分到的最少，孙悟空分到的最多，心里十分恼火。他一把拉住小牛，问："为什么两次的百分数都一样，这次又是我分到的最少？"

小牛解释说："表面上看，百分数都一样，但是单位'1'的量却不一样。第一次分仙酒的时候，我是从大圣分剩下的酒中分 25 %，实际上我分到的酒是 10 千克的（1 - 10 %）× 25 % = 22.5 %；龙王分到的酒是我分完后剩下酒的 25 %，也就是 10 千克的（1 - 10 % - 22.5 %）× 25 % ≈ 17 %；而你分到的酒是龙王分完后剩下的 30 %，也就是 10 千克的（1 - 10 % - 22.5 % - 17 %）× 30 % ≈ 15 %。"

八戒大吃一惊，说："啊！分给我的 30 %，实际上才是 10 千克的 15 %，我吃了大亏啦！"

"对！"小牛又说，"第二次分玉液琼浆时，每人分到酒的百分数，都是以 10 千克为单位'1'的，大圣分到 30 %，是实实在在的 $10 \times 30\% = 3$（千克）。"

八戒大吼一声："好个泼猴，竟敢用数学戏弄我老猪，吃俺一耙！"说完抡起钉耙扑向悟空。

悟空轻轻一跳，躲了过去。他笑嘻嘻地对八戒说："谁叫你不好好学习数学？你是活该上当！"

八戒羞得满脸通红，又向悟空扑来。突然一股黑潮涌来，顿时天昏地暗，伸手不见五指。等黑潮退去，悟空发现八戒和小牛不见了。

悟空急了，亮出金箍棒，揪住龙王叫道："我的师傅小牛和师弟八戒哪里去了？快交出来！"

龙王连连告饶说："大圣息怒，此黑潮可能是章鱼怪所为。"

悟空揪着龙王往外走，边走边叫："带我去找那个章鱼怪。"

龙王熟悉地形，带着悟空三转两转就来到一块巨大的海底礁石前，只见从礁石下面伸出两根如同象鼻子一样的东西，不停地摆动。

悟空刚要走过去，龙王说："慢！此乃章鱼怪的两条巨腕，每条腕的内侧生有两行吸盘，一旦吸上你就很难摆脱。"

大圣听后倒吸一口凉气。

大战章鱼怪

DAZHANZHANGYUGUAI

悟空在礁石底下找到了章鱼怪，龙王警告说章鱼怪腕上的吸盘十分厉害。

悟空哪里把小小的章鱼怪放在眼里，他把手中的金箍棒一横说：“大胆章鱼！竟敢擒我老师，捉我师弟，还不快快出来受死！”

只听一声尖叫，一只巨大的章鱼从礁石底下钻了出来。他长有8条大腕，一条大腕上卷着小牛，另一条大腕上卷着八戒。

章鱼怪鼓着两只大眼睛说：“猪肉真香，我先吃猪八戒。如果我早晨吃他的一半外加10千克；中午吃剩下的一半外加10千克；晚饭又吃剩下的一半外加10

千克；夜里饿了，我还是吃剩下的一半外加 10 千克。哈哈，正好把猪八戒吃光！”

悟空咬着牙根说：“一天吃 4 顿，你真够贪吃的！”

章鱼怪说：“孙猴子，你能算出猪八戒有多重吗？”

悟空知道这是章鱼怪在向自己挑战，便口中念念有词，想把这个问题算出来，可又不知从何处下手，急得他一个劲儿地抓耳挠腮。

章鱼怪哈哈大笑，说：“你抓下再多的猴毛，怕也算不出来，我还是先吃早点吧！”说着就把八戒往嘴里送。

“慢！”悟空说：“我要问问八戒和我老师，看他们还有什么话说？”只见小牛和八戒都痛苦地挣扎，干张嘴说不出话来。悟空知道他俩被腕缠得太紧。

悟空问龙王：“如何让章鱼怪把腕松开？”龙王俯在悟空耳朵上小声说了两句。

好大圣，腾空跃起，抖起手中金箍棒趁章鱼怪愣神的一刹那，在章鱼怪左右眼上各点了一下。

这一招儿还真灵，章鱼怪立即把腕松开。小牛赶忙喘了几口气，说：“大——圣，你——从后——往前算。”

悟空立刻明白了。他猴眼一转，对章鱼怪说：“你夜里吃剩下的一半外加 10 千克，正好吃完，这说明晚饭吃剩下的是 20 千克；你晚饭吃剩下的是 20 千克，中午饭后吃剩下的是(20 + 10)× 2 = 60(千克);早饭后吃剩下的是(60 + 10)× 2 = 140(千克);所以,八戒的体重是(140 + 10)× 2 = 300(千克)。”

章鱼怪哈哈大笑:“猪八戒有 300 千克重,正好让我吃得过瘾!”说完又要往嘴里送。悟空大怒,抡起金箍棒照章鱼怪头上狠命一棒,只听“嘭”的一声,黑色毒液从章鱼怪的头上涌出。

龙王赠珠

LONGWANGZENGZHU

悟空打死章鱼怪，解救了小牛和八戒。

龙王非常高兴，他说："大圣帮我们东海除去一害呀！谢谢大圣！"

悟空"嘻嘻"一笑说："老龙王，你倒是会做人，说了声谢谢就完啦！"

龙王赶忙施礼问："依大圣的意思？"

"东海盛产珍珠，你拣些上好的珍珠送给我们三个，

也好留个纪念呀！”悟空一点儿也不客气。

“这个好说。上珠！”龙王一声令下，只见一只大乌龟背上驮一个锦盒缓步爬来。龙王打开一看，里面装有 5 颗乒乓球大小的珍珠。接着走来 3 员蟹将，手中各捧一锦盒，打开一看，每个锦盒中都装有 2 颗鸡蛋大小的珍珠。

悟空禁不住叫道：“好大的珍珠！”

最后走上来 6 名虾兵，手中也各捧有一个锦盒，打开一看，每个盒子里都装有一个足球大小的珍珠，光彩夺目。

八戒惊呼：“从没见过这么大的珍珠！”

龙王说：“把这些珍珠送给三位，请笑纳！”

悟空摇摇头说：“太小气，这么几颗珠子让我们三个人分，每人才能分几颗？”

龙王忙问：“依大圣的意思？”

悟空说：“我们每人每次只能取 6 颗珍珠。取法相同的只算一次，取法不同的应该算 2 次，2 次就得 12 颗珍珠，3 种不同取法可得 18 颗珍珠。谁找到的不同取法多，谁得到的珍珠也多，你看怎样？”

龙王惹不起大圣，只好点头答应。

八戒嚷嚷着先分。他一次抱走 6 名虾兵手中的 6 个锦盒。八戒高兴地说：“我要 6 颗最大的！”龙王令虾兵又端来 6 盒补齐。

悟空先拿走虾兵手中的 6 盒，又拿走蟹将手中的 3

盒,说道:“我拿走 12 颗珍珠。”

小牛有绝招儿。他先画了一张表:

取的盒数 取法 / 盒里珍珠数	1	2	3	4	5
5 颗	1	0	0	0	0
2 颗	0	3	2	1	0
1 颗	1	0	2	4	6

按照表小牛取了 5 次:第一次是 1 盒 5 颗的, 1 盒 1 颗的; 第二次是 3 盒 2 颗的; 第三次是 2 盒 2 颗的, 2 盒 1 颗的; 第四次是 1 盒 2 颗的, 4 盒 1 颗的; 第五次是 6 盒 1 颗的。

龙王惊呼:“我的天哪! 照小神仙这样取法, 要把龙宫的所有珍珠都取光了!”

小牛笑笑说:“这些宝珠留在你龙宫有何用? 拿出去还可以为人类造福!”

悟空一拍小牛肩膀说:“老师说得对!”

抽数谎破

CHOUSHUHUANGPO

这一日，骄阳似火，孙悟空对师父说：“徒儿去弄点泉水和野果来。”八戒立刻凑了上去说：“徒儿去化点馒头和米粥来。”唐僧点头答应后，两个徒儿各奔东西。

八戒来到一片西瓜地，他见左右无人，摇身一变，变成一头小野猪，钻进西瓜地里大吃起西瓜来。忽然，一只老虎猛扑过来，小野猪扭头就跑，老虎紧追不舍。八戒急了就地一滚，又恢复了原样。只见他抡起钉耙就打老虎。可定睛一看，哪里还有什么老虎，分明是孙悟空站在面前。

悟空问：“八戒，你偷吃了多少西瓜？”

八戒摇摇头说：“一个没吃，敢对老天发誓！”

“真的，一个也没吃，这全是真心话。”八戒嘴里嘟哝着。

悟空接过话茬说：“真话谎话我自然会知道的。”接着，从怀中取出 10 片同样大小的竹片，上面分别写着从 1 到 10 十个数字。悟空左右手各拿 5 片竹片，把写着数的一

面朝下，对八戒说："你背着我，从我的两手中各抽一片竹片，记住竹片上写的数，然后再插回来。我翻过来一看，如果我能说出你抽的是哪两片竹片，就说明你说的是真话还是谎话我全知道。"

"有这种事？"八戒半信半疑地从悟空的左右手各抽出一片竹片，默记住上面的数字后又插了回去。

悟空把两手的竹片翻过来一看，说："你抽的竹片，一片上写着 3，一片上写着 8，对不对？"

"嘿！还真对啦！"八戒连抽了几次，每次都被孙悟空说中。八戒服了，承认自己偷吃了 18 个大西瓜。

八戒问："猴哥，你究竟要的是什么把戏？"

悟空把左手一举说："这 5 片上写的都是偶数。"接着他把右手一举说："而这 5 片呢，写的都是奇数，当你抽走两片竹片的时候，我把左右手的竹片迅速交换过来。在你再往回插的时候，肯定把一片写着偶数的竹片插到写着奇数的竹片里，一片写着奇数的竹片插到了写着偶数的竹片里。我把竹片翻过来，就一眼看出你插进的那两片竹片了。"

八戒一跺脚说："咳，我让奇偶数骗了！"

图书在版编目(CIP)数据

彩图版数学西游记/李毓佩著.—武汉：湖北少年儿童出版社,2009.3
（李毓佩数学故事系列）
ISBN 978-7-5353-4407-6

Ⅰ.彩… Ⅱ.李… Ⅲ数学—少年读物 Ⅳ.01-49

中国版本图书馆CIP数据核字（2009）第028632号

书　　名：数学西游记
主　　编：李毓佩
出版发行：湖北少年儿童出版社
业务电话：027-87679199　027-87679179
网　　址：http://www.hbcp.com.cn
电子邮件：hbcp@vip.sina.com
承 印 厂：武汉福海桑田印务有限责任公司
经　　销：新华书店湖北发行所
印　　数：218 001-226 000
印　　张：6
印　　次：2009年3月第1版　2018年7月第17次印刷
规　　格：880×1230mm　1/32
书　　号：ISBN 978-7-5353-4407-6
定　　价：14.80元